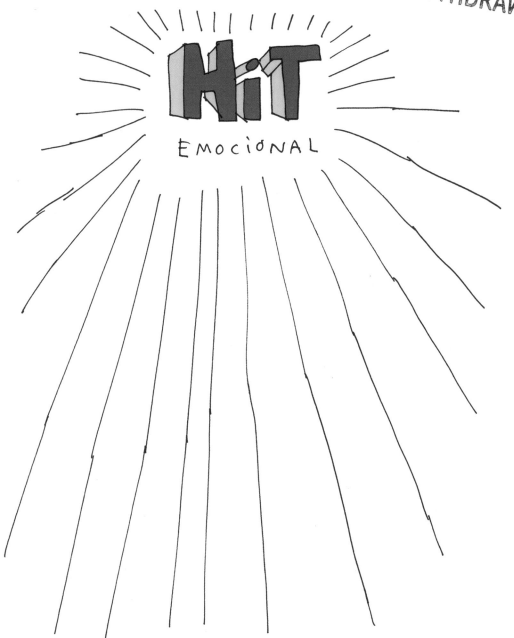

EMOCIONAL

sextopisoilustrado

Primera edición: 2015

© Juanjo Sáez
© Prólogo de Santi Carrillo

Diseño, color y corrección: Vanessa Cabrera

Copyright © Editorial Sexto Piso, S.A. de C.V., 2015
  París 35-A
  Colonia del Carmen, Coyoacán
  04100, México D.F., México

  Sexto Piso España S.L.
  Calle Los Madrazo, 24, semisótano izquierda
  28014, Madrid, España

www.sextopiso.com

Impresión
Kadmos

ISBN: 978-84-15601-79-1
Depósito legal: M-17973-2015

                                        Impreso en España

JUANJO SÁEZ, EMOCIONES MUSICALES CON NOSTALGIA

Aunque pudiera parecerlo, la clave de la obra de Juanjo Sáez no es la comicidad de sus dibujos aniñados, sino lo entrañable de la nostalgia que se desprende de ellos. «Yo, hace 20 años, ya era un nostálgico cuando todavía no había perdido casi nada», confiesa en este *Hit Emocional*.

Hace tiempo que Juanjo huyó de la cotidianidad de lo moderno que lo caracterizó en sus inicios para abrazar una nueva vía, seria y profunda, que cuestiona el absurdo del mundo en que vivimos y, de una manera simple y emocionante, lo sentimentaliza para bien: habla de su familia, de sus amigos, de él mismo (sobre todo); de lo que siente, de las cosas que realmente le importan, de lo que ha perdido y de lo que nunca más tendrá. Es así como proyecta al exterior ese pesar interior que macera su personalidad oculta, la que se esconde tras su fino humor y su locuacidad extrema, características de las que también se acaba burlando desde una inusual sinceridad a prueba de bombas.

El valor de ir soltando verdades a lo crudo, incluso para detonar los tópicos aparentes de su propia personalidad, define una línea de actuación que, ya desde sus gamberradas iniciáticas en el colectivo Círculo Primigenio, lucha con gracia contra la estupidez que nos rodea; nadie como él ha sabido manejar y cuestionar el concepto de fama a pequeña escala en el mundo moderno de ridiculeces y frikis menores en que se llegó a convertir la Barcelona de los noventa, la época de su etapa de progresivo asentamiento como dibujante con ideas provocadoras.

En el trabajo de Juanjo se esconde un mensaje progresista, quizá ácrata; detrás de sus ocurrencias, se presenta un dibujante ejerciendo de agente moral, de educador de la no-tontería. Y con mucho sentimiento, como demuestra una vez más este libro, que recopila –a través de una coherente selección– y amplía generosamente su trabajo en la sección mensual «Hit Emocional» publicada en la revista *Rockdelux*. Debutó en septiembre de 2006 con una doble página en honor al «Monkey Gone To Heaven» de Pixies y al «Take Me Out» de Franz Ferdinand. Desde ahí, decenas de simples y conmovedoras miniaturas naífs relacionadas con la música (su gran pasión:

«lo que más me gusta en la vida es la música») como homenaje a muchas canciones que lo han emocionado o acompañado.

Que podamos comprobar su poder de rectificación en sus tachones clarividentes, sin atisbo de vergüenza, entre la provocación y la desfachatez, es una pista más de la (profesionalización de la) aparente simplicidad de su mensaje y su dibujo, los cuales, no obstante, pueden tornarse complejos en cualquier momento y desembocar en lecturas inesperadas, alejadas de la frivolidad. Porque Juanjo ha ido madurando desde su encantadora inocencia pueril, que escondía un espíritu despiadado y socarrón, hasta convertirse en un adulto «que nunca ha querido hacerse viejo», como asegura en este bonito y profundo libro autobiográfico que, según sus palabras, es «un recorrido emocional por mi experiencia musical, relacionada con mi vida y con las personas que se han ido cruzando por ella». En él combina viñetas de humor obvio, aunque siempre astuto y atrevido, con narraciones aparentemente infantiles pero cargadas de significado, que pueden presentarse de un modo inocente o corrosivo, si bien (casi) siempre triste.

«En el fondo soy un blando y un sentimental», dejó dicho Juanjo Sáez en su libro *Viviendo del cuento* (2004), el primer eslabón de una cadena de crecimiento adulto que lo llevó a combinar texto ilustrado, humor gráfico e historieta con un tono superior; la base de todo lo que es ahora. Y este *Hit Emocional,* como él mismo reconoce, podría ser el complemento de aquél; o la cara B de sus (mejores) emociones musicales y vitales.

Que suene la música.

Santi Carrillo
Director editorial de *Rockdelux*

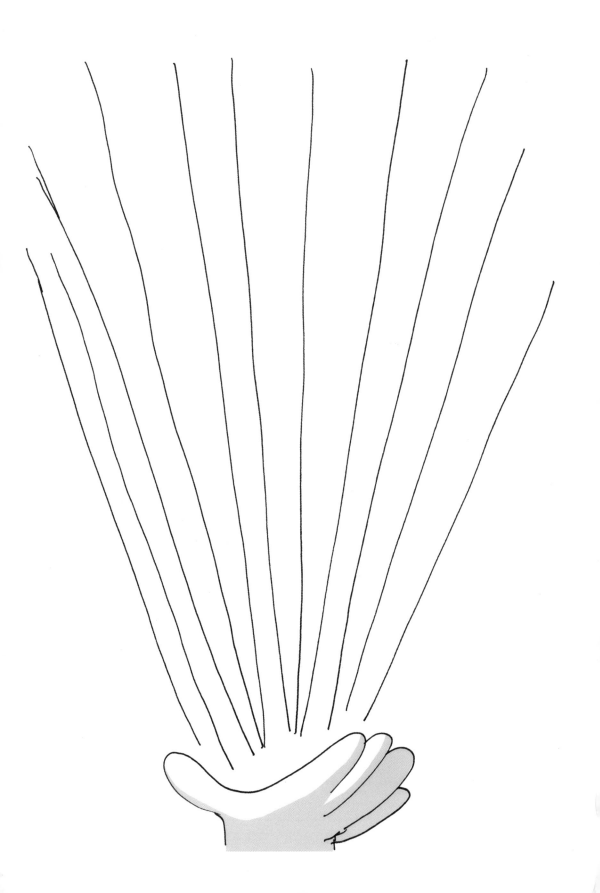

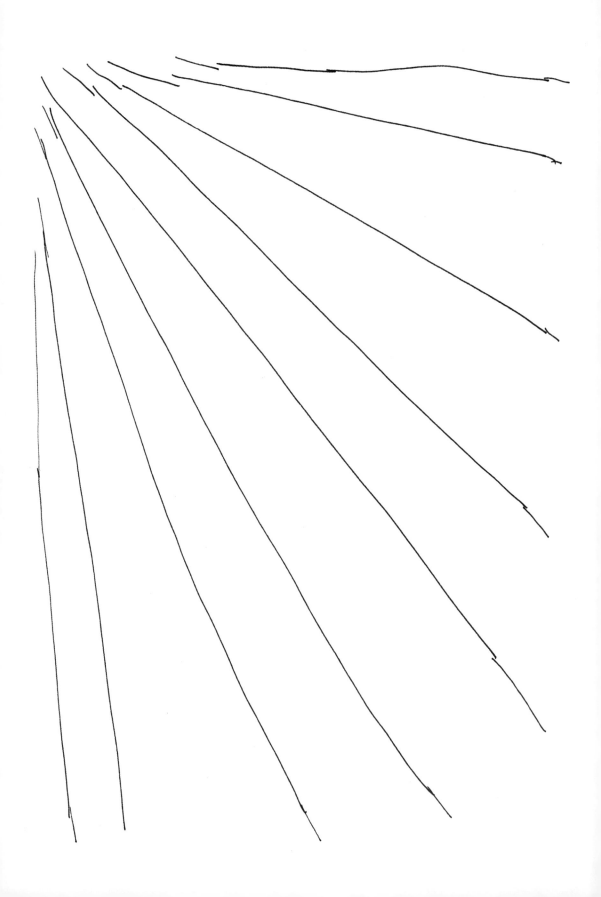

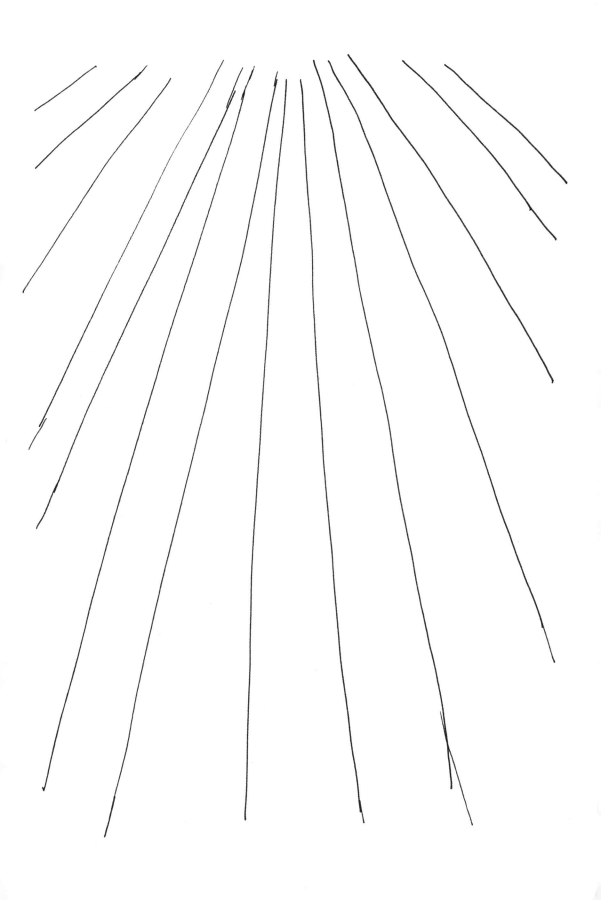

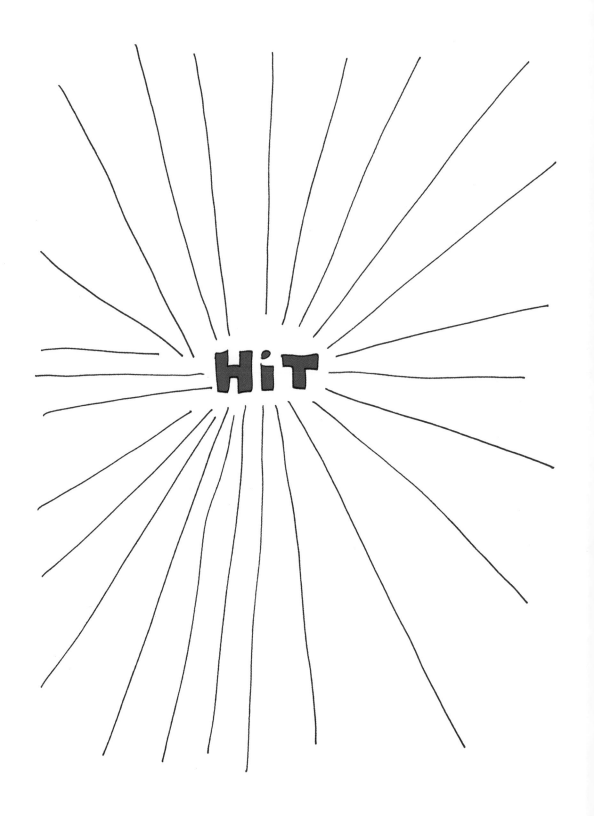

EL ORIGEN del HiT
EMOCIONAL

Hace ya muchos años, recuerdo proponerle a Santi Carrillo, director de la revista Rock de Lux, la idea de que me publicaran una página sobre mis pensamientos e ideas en torno a una canción cada mes. A Santi le pareció buena idea y aceptó, sin darle muchas vueltas. Siempre me pareció que la revista, tan objetiva y sesuda, necesitaba aunque sólo fuera una página donde se tratara el tema musical desde lo subjetivo y emocional. A fin de cuentas, eso es lo que es la música, una experiencia SUBJETIVA y emocional.

Las páginas de este libro, dedicadas a canciones, en su mayoría han sido publicadas en Rock de Lux.

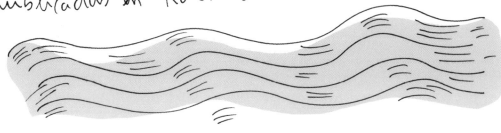

En un origen, este libro iba a ser una simple recopilación, pero como siempre me pasa, al final esas páginas sólo ocupan un pequeño porcentaje del libro y ha terminado siendo un recorrido emocional por mi experiencia musical, relacionada con mi vida y con las personas que se han ido cruzando por ella.

Espero que os guste.

Me ha costado un HUEVO hacerlo.

la primera página que publiqué en RDL
(el HIT EMOCIONAL)

10

EMOCIONAL

TEMA: MONKEY GONE TO HEAVEN
GRUPO: PIXIES
DISCO: DOOLITTLE (1989)

← Yo mismo

Cada mes destacaré un HIT y pasará a formar parte de mi lista EMOCIONAL

Sin orden de importancia

ni de calidad musical

SÓLO EMOCIÓN

Los Pixies fueron uno de los grupos que primero me gustó y que no era heavy. Ése fue el inicio de mi verdadera pasión por la música, de ahí pasé a SONIC YOUTH y todo lo demás.
Un mundo que me cambió por completo, donde lo importante eran la música y el arte y no si el cantante era un gordo.

Recuerdo leer el Rock de Lux, sobre todo sus famosas listas, con las que no solía estar de acuerdo, aunque después con el tiempo, muchas veces les diera la RAZÓN

Ya ha pasado mucho tiempo desde todo esto, y hoy ya tengo mi propia sección en la revista, donde hacen mi lista y hacerme el SABIHONDO como
SANTI CARRILLO

No se enteran

ROQUE

No te pierdas HiT EMOCIONAL, cada mes en RDL

La lista definitiva para los que piensan que la música es mucho más que un RANKING

ESQUEMA / RESUMEN
del libro

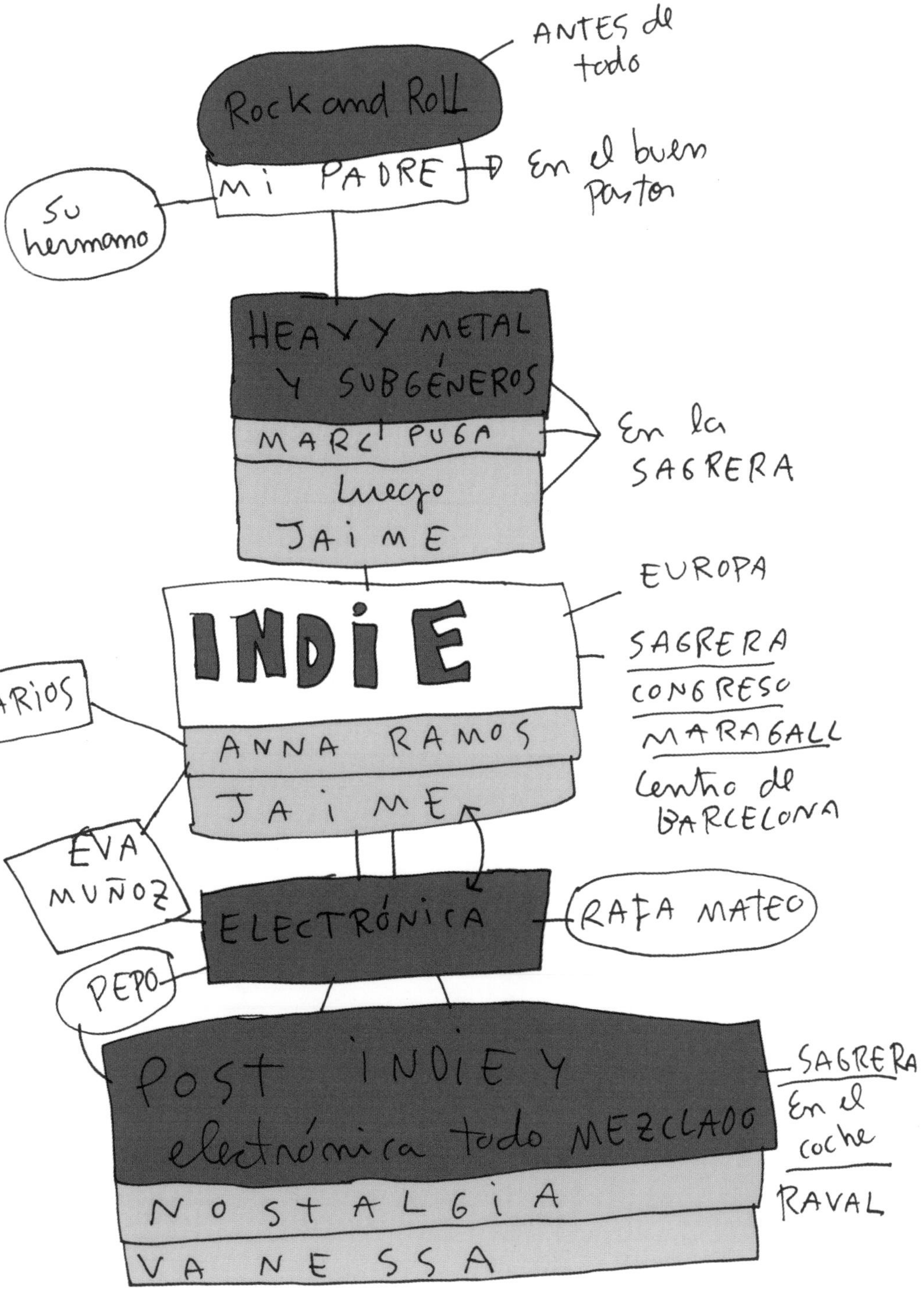

Rock and Roll — ANTES de todo

MI PADRE ▷ En el buen Pastor

Su hermano

HEAVY METAL Y SUBGÉNEROS

MARC PUGA

Luego JAIME — En la SAGRERA

INDIE — EUROPA

SAGRERA
CONGRESO
MARAGALL
Centro de BARCELONA

DARIOS

ANNA RAMOS

JAIME

EVA MUÑOZ

ELECTRÓNICA — RAFA MATEO

PEPO

POST INDIE Y electrónica todo MEZCLADO — SAGRERA En el coche

NOSTALGIA — RAVAL

VANESSA

INTRO:

Siempre digo que lo que más me gusta en la vida es la música, más que los cómics, más que el arte, más que el cine, que casi ni me gusta, más que dibujar, más que escribir, más que leer, más que comer. Sólo puede que dormir me guste más. Y pensar, pensar también me gusta, y hablar. Pero la música lo que más.

A veces me pregunto por qué no he sido músico, y lo cierto es que no lo sé, no tengo sentido del ritmo, ni demasiado oído, tampoco me gusta la vida de los músicos, me parece bastante ABSURDA. TOCAR en directo, siempre lo mismo, Demostrar que lo saben tocar igual

→

14

→ cada vez; yo no sé repetir mis dibujos
ni se me ocurren siempre las mismas cosas
que decir. ES MUY ABURRIDO repetirlo todo.

Y luego la vida esa de furgoneta, las
drogas, el alcohol. No me va nada, como
profesión, para mí, sin duda, es mucho
mejor dibujante.

Cuando me despierto por la mañana, lo
primero que pienso, la mayoría de las
veces, a no ser que tenga un problema,
es qué disco voy a escuchar.

Ahora con el SPotiFy es
toda una aventura
matutina y me levanto
con ilusión. Si no fuera por eso no me levantaría
la mayor parte de los días. La mañana es
el momento más pesado del día para mí.

HIT
EMOCIONAL

Cuando era pequeño me mareaba en el coche. Era entrar y pensar que iba a vomitar. Al empezar a escuchar música con ~~los~~ ~~azzi~~ el walkman que me regaló mi madre, empecé a olvidar mis mareos y nunca más vomité en el coche.

HIT ENFERMO

EMOCIONAL
CANCIÓN: DESIRE LINES
GRUPO: DEER HUNTER
DISCO: HALCYON DIGEST (2010)

El Arte y la enfermedad tienen una extraña relación. Muchos artistas han pasado una larga enfermedad o le han visto las orejas al LOBO. Como JASON PIERCE o EDWYN COLLINS

BRADFOR COX tiene el síndrome de MARFAN. Una degeneración de los tejidos, que afecta a los ÓRGANOS internos y al ESQUELETO. Sería injusto decir que tiene una imagen muy potente.

JOEY RAMONE también lo tenía

Recuerdo estar enfermo

Ese estado te obliga a viajar hacia dentro. En un raro estado de introspección

APRENDES a DISTINGUIR lo importante

te mantiene en GUARDIA

En estado de ANSIEDAD

En los peores ratos, te obliga a evadirte, a escapar del mal RATO

ALGO hay que hacer

Muchas horas de cama

¿Para hacer una canción no hay que hacer casi lo mismo?

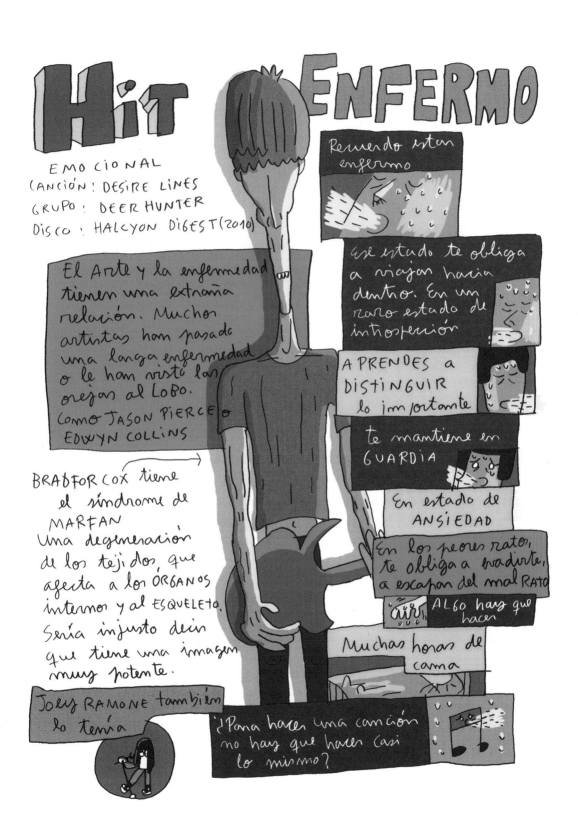

Escucho música a todas horas, siempre, sin descanso.

MiS GRUPOS PREFERIDOS
por orden CRONOLÓGICO

- Loquillo
- TOREROS MUERTOS
- BARÓN ROJO
- ¡RON MAIDEN
- METALLICA
- SEPULTURA
- JANE'S ADDICTION
- ~~NINE INCH NAILS~~
- PiXiES
- NINE INCH NAILS
- SONIC YOUTH
- ANiMAL COLLECTIVE

Faltan muchos más, pero con éstos me obsesioné
especialmente.

La música es un medio
aglutinante para los
recuerdos. UN ÍNDICE
para ordenarlo todo.

Podríamos hacer una
guía de nuestra AUTOBIO-
GRAFÍA.

UNA SELECCIÓN de temas que
nos remitirían a cada una de
nuestras emociones recordadas

En la era del cassette haríamos
selecciones para nuestras NOVIAS

Como muestrario de
nuestros sentimientos

CAJiTAS DE MÚSiCA

Las canciones son como cajitas donde guardan los recuerdos y las emociones.

La música, como los olores, nos remite a recuerdos de forma inmediata. La música es como el perfume.

El perfume lo asociamos a personas muchas veces, a amores pasados, a seres queridos, lugares, momentos...

Perfume

HIT

AMOR

GRUPO: TINDERSTICKS

~~Canción de~~
tema: CAN OUR LOVE ~~amor~~
Disco: CAN OUR LOVE (2001

El amor, el gran tema de la música ¿cómo puede ser que no haya hablado de esto aquí todavía?

¿Quién no ha grabado un cassette a un ser amado? ¿quién no ha hecho una lista para una novia? ¿quién no ha fantaseado con cantarle una canción a un amor? ¿quién no ha creído que una canción de amor hablaba de lo que él sentía?

Quién fuera músico para cantarle al amor.

¿Quién no ha escuchado canciones de amor para sentirse peor?

Un dibujante sólo puede acariciar la idea

23

La música para mí es el arte más elevado. El más sofisticado, el que es inmaterial, el más ABSTRACTO. No hay nada que vaya directo a la emoción de igual forma.

La música altera nuestra percepción de las cosas, de la realidad como prácticamente nada más, además de forma inmediata. (las drogas también, ¡claro)

En los conciertos, cuando suena el **HiT**, la gente reacciona al instante, al sonar las primeras notas, con una ovación.

Todos emocionados al mismo tiempo

Es algo a lo que estamos acostumbrados, pero si no fuera así, nos parecería magia.

Creo que la música ha sido mi mejor forma de aprender a ~~---~~ desarrollar y canalizar mis emociones. Creo que he desarrollado la empatía escuchando tanta →

→ música . De algo ha de servir escucharla, digo yo que te hará más sensible, no creo que caigan en saco roto todos esos sentimientos que reaccionan en nuestro cerebro.

Mi ideal como "dibujante" sería lograr con mi trabajo lo mismo que logra la música en nosotros. Quizás porque de adolescente quería ser músico.

Mi trabajo desciende de la música

HiT
EMOCIONAL

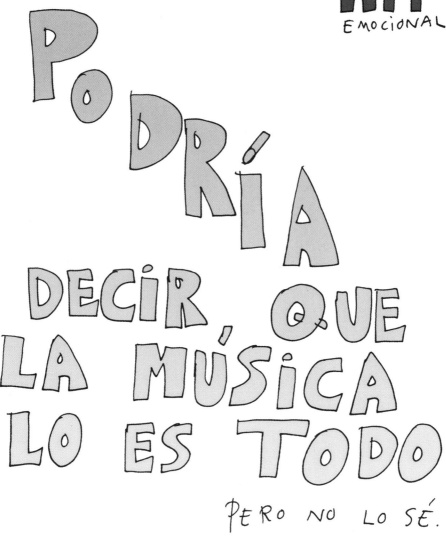
PODRÍA
DECIR, QUE
LA MÚSICA
LO ES TODO

PERO NO LO SÉ.

MÁS BIEN CREO QUE HACE LA VIDA más
SOPORTABLE, AGRADABLE, SENTIDA.

La música es el papel
del caramelo

tool es un buen nombre para un grupo, o para la música misma.

La música es una herramienta ABSTRACTA, Inmaterial. Una Herramienta sin Hierro que nos sirve para miles de cosas.

Puede ser una máquina para hacer masajes o una excavadora para abrir ZANJas por donde circulen las emociones.

TOOL

UN INSTRUMENTO POLÍTICO. UN ALTAVOZ de ideas. un MEDIO ARTÍSTICO.

LA Sal que realza el sabor de la vida. Puede ser mil cursilerías o la cosa más importante de la vida. tu camiseta preferida. tus PADRES, tus AMIGOS, LA VIDA, LA MUERTE. EL SEXO, LA MODA, LOS PEINADOS, tú, yo. DAVID BISBAL, SONIC YOUTH, tool...

HIT EMOCIONAL

La música tiene algo de maquinal también, al ser humano le gusta reconocer patrones, le da un gustillo especial saber lo que va a pasar, le reafirma su inteligencia.

Pero el colmo del gustito es cuando predice una pequeña variación. Saber que ese patrón variará un poco, de una manera determinada que nosotros somos capaces de predecir. Ése es el gran placer

Ahora viene el cambio

y por el motivo que sea, ese placer para la inteligencia conecta de algún modo con la emoción, y eso ya es el placer total.

TEMAS Y CONCEPTOS

tratados en la MÚSICA

AMOR
JUVENTUD
TRANSGRESIÓN
RABIA
REVOLUCIÓN
FIESTA
FELICIDAD
PASARLO BIEN
VIDA/MUERTE
SEXO
PELIGRO
GANAR
PERDER

JUVENTUD

Cuando uno es joven tiene un ímpetu y una energía que luego va perdiendo.

Por eso creo que hay grupos que sacan un único disco bueno o que luego poco a poco cada vez son peores, aparte de irse acomodando y queriendo repetir el éxito sin demasiada fortuna, como los STONE ROSES, los SEX PISTOLS..., etc. Aparte de la pérdida de la energía, la falta de miedo hace mucho. El joven tiene una parte de genio valiente que hace que haga grandes obras ausentes de miedo y eso tiene un gran valor. NO TENER MIEDO. Los jóvenes no tienen miedo, es algo físico, el cerebro todavía no se ha desarrollado del todo y la sensación de peligro es menor.

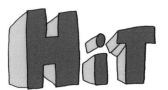

TEMA: TODO LO CONTRARIO
GRUPO: FERIA
DISCO: FERIA

UNA BONITA FRASE

HiT
EMOCIONAL

CANCIÓN: TEEN CREEPS
GRUPO: NO AGE
DISCO: NOUNS 2008

Me duelen los Pies

ésta es la primera señal

Distribuyes el peso de un pie a otro, esperando que toquen tu Preferida

tu capacidad de sufrimiento ha disminuido considerable- mente

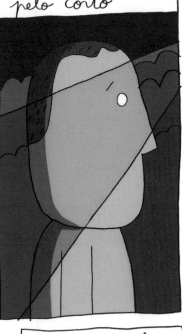

Crees que te queda mejor el pelo corto

Aunque no lo digas, agradeces que no se pueda fumar

Y crees que un concierto en el AUDITORIO habría estado mejor

Por lo menos en un local pequeño

todo esto te lo guardas para ti, sin decir NADA, disimulando.

Pensando que, PROBABLEMENTE, la próxima vez no vuelvas.

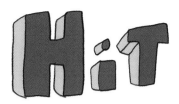

EMOCIONAL

Canción: LOS VIEJOS
SOLISTA: JOE CREPÚSCULO
DISCO: ESCUELA de ZEBRAS
(2008)

Nada envejece más que pensar que nos hacemos VIEJOS

Nunca he entendido demasiado bien el paso del tiempo, ni los supuestos roles de cada momento.

De pequeño, me llamaban viejo por mojar la MADALENA en el café con leche

mírala, parece un viejillo

Me llamaban viejo, por ir bien planchado

inmaculado y bien Peinado

Me llamaban viejo por ser un niño tranquilo

Por saber comer con los CUBIERTOS

Por no tirarme por el suelo

Me llamaban viejo por jugar Pensando

Por no querer celebrar el cumpleaños

Lo van a romper todo

feliz, feliz, en tu día

Joe dice:

Hasta un niño puede ser viejo

yo lo sé

Se me olvidaba

HIT EMOCIONAL

CANCIÓN: LIGHT IN THE EVENING
GRUPO: FLYING SAUCER ATTACK
DISCO: CHORUS (1996)

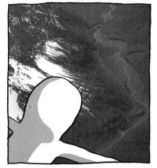

Una fantasía, un deseo común a todos, un sueño inalcanzable, oculto y difícil de entender, bajo miles de capas en nuestras mentes

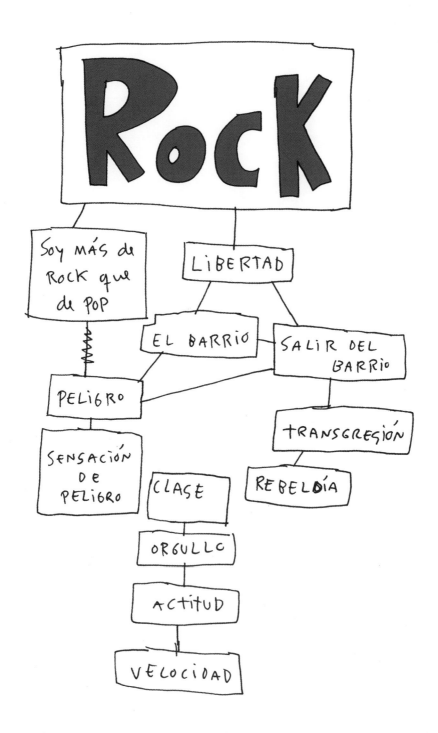

HEREDERO
del
BUEN PASTOR

Me gusta mucho la música, eso ya lo sabe todo el mundo. Me viene de muy atrás, de muy muy lejos, desde antes de nacer. Antes de que se conocieran mis padres, mucho antes ~~que se~~ de que ellos mismos pudieran imaginarse que un día estarían juntos y me tendrían a mí. Antes de mí siquiera estar en proyecto. Creo que incluso antes de que NACIERA mi padre en el BUEN PASTOR. El BARRIO de Barcelona donde se CRIÓ.

padre

A mi↑ le gustaba el Rock 'N' Roll, ya lo he
explicado otras veces. También he explicado
que parecía inglés, que llevaba estética
BRITÁNICA y en las fotos de joven me recuerda
a esos cantantes de ahora de grupos MODERNOS.

HIT

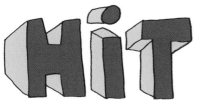

EMOCIONAL

TÍTULO: TAKE ME OUT
GRUPO: FRANZ FERDINAND
DISCO: FRANZ FERDINAND (2004)

Mi padre de joven tenía un aire a Alex KAPRANOS

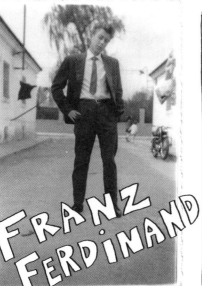

FRANZ FERDINAND

EN EL BARRIO del BUEN PASTOR (BARCELONA)

NO ME PODÉIS NEGAR que tiene parecido, RUBIALES, con tupé, boca grande... Mi padre de Joven era un tío COOL como KAPRANOS

le gustaba bailar el ROCK, y en el barrio lo rechazaban por "MODERNO"

míralo, se va a bailar a BARCELONA

fue el primero en el barrio en comprarse un secador de pelo

como para Kapranos para mi padre la música era para bailar

Practicaba con la puerta de su casa

Y participaba en concursos de baile

18 17

Yo no he salido a ellos, yo bailo por dentro

tic tic =)

Pero capto el ROLLO

TAP TAP

bailar es pasar de todo, es mostrarte como eres, es sudar

es sexo sin sexo.

No me gustan FRANZ FERDINAND

SON UNOS ANTIGUOS

Pero me recuerdan a mi padre y eso me encanta

Tan guapo con su traje y su peinado, su corbata estrecha y todo lo demás.

ZAPATILLAS John Smith, antes en ESPAÑA no había CONVERSE y ésta era la imitación que se llevaba aquí.

Como otros jóvenes de su época, llevaba esas pintas porque estaban de moda. Lo distinto es que mi padre era de un barrio muy pobre, donde se pasaba más hambre que el perro de un ciego y no

NADA

↓

↳ había demasiado lugar para las modas

Ser de Barrio, tanto a él como a su hermano les daba una pátina de autenticidad. Rockers de verdad, los de las películas. Los de WEST SIDE STORY, pandilleros.

camiseta imperio

MI PADRE

El hermano mayor de mi padre, cuenta la leyenda familiar, era CLAVADito a JAMES DEAN; nunca lo conocí porque murió muy joven, con 36 años, creo que me dijo mi padre. Era un pandillero y siempre se metía en LÍOS. Era el hermano mayor y mi padre lo adoraba. Siempre contaba sus grandes HAZAÑAS. El hermano de mi padre era un GRAN NADADOR. La más mítica historia de él que se contaba fue cómo CRUZÓ a NADO el estrecho de GIBRALTAR ⟶

ESPÍRITU ROCK

→ cargado de GRIFA para hacer
contrabando
                    ↓
              chocolate, HACHÍS, FUL

La historia a mí siempre me pareció ~~increíble~~ increíble, y más teniendo en cuenta las historias que se explican de los emi- grantes que mueren ahora intentando llegar a ESPAÑA desde MARRUECOS en "patera".

El frío que hace y las corrientes tan fuertes que hay. REALMENTE ES EL ACTO DE UN SÚPER HOMBRE

Sin duda una actitud súper Rocker y auténtica. Mi padre contaba cómo a su hermano alguna vez lo persiguió la policía por los tejados del barrio y cómo se escuchaban disparos.

Mi padre también contaba cómo su hermano daba palizas al novio de su hermana pequeña para mantenerlo a RAYA y que no se sobrepasara con la NIÑA.

También contaba cómo una vez, en una pelea en el cine, tiró a su contincrante de la platea abajo, encima de la gente.

Mi padre terminaba siempre estas historias diciendo:

tengo la
teoría de que
todo esto
les venía
de la sangre

Mi hermano
era de
miedo

y se ponía
a reír con sus
dientes grandes

Inglesa, por lo Hooligan. Mi padre y sus hermanos eran rubios platino y sin duda descendían de los INGLESES que llegaron a MURCIA para explotar las minas de PLATA. Mis abuelos eran MURCIANOS y emigraron a BARCELONA antes de nacer mi padre.

Muy probablemente la abuela o la bisabuela de mi padre tuvo una relación con uno de los amos ingleses, voluntariamente o por la fuerza. Me temo que lo mas fácil es que fuera por la fuerza. Había mucha ~~~~ pobreza a mediados del 1800 y los murcianos eran los criados de los Ingleses. Sería bonito pensar que fue ~~~~ fruto del amor, pero lo dudo mucho.

Quieras o no, esto debió marcar de algún modo a la familia, la madre de mi padre era rubia también y el resto de la familia morenos, rozando lo GITANO

$\longrightarrow$

→ ~~▨~~ Al ser, tanto mi abuela como mi padre y sus hermanos, tan RUBIOS, ya se asentó una rama de raros y disidentes en medio de la familia y de esa realidad tan RÚSTICA.

Casualidad o no, mi padre y su hermano eran algo así como dos ROCKERS con pinta de "GUIRI" en el BARRIO del BUEN PASTOR. No sé si realmente su interés por esa música era por pura inquietud JUVENIL o se les despertó por su genética ANGLO; la cuestión es que gracias a su aspecto y estilo eran los más modernos del barrio.

Mi padre, a diferencia de su hermano, no se metía en líos; lo suyo era el baile y se metió de lleno ~~en~~ en aprender a bailar ROCK y en el ciclismo, sus principales aficiones hasta que fue a la MILI; en aquellos años la juventud duraba muy poco.

SU MÚSICO PREFERIDO SIEMPRE FUE BUDDY HOLLY

Mucho más que ELVIS

Mi padre siempre contaba que antes de conocer a mi madre hasta ganó algún concurso de baile, y que solía ir al centro de BARCELONA a bailar ROCK 'N' ROLL. En el barrio lo miraban mal por ir a "BARCELONA", como ellos decían para referirse al centro de la ciudad. Decían que eso era de gente sospechosa.

ERA una estructura muy de CLAN y de miedo a lo de fuera. Mas allá del BARRIO →

→ estaban el mal y los problemas. Pero a mi padre el barrio se le hacía pequeño y marginal, y siempre quiso salir de ahí e irse a vivir a la SAGRERA o a SAN ANDRÉS. DONDE SE VIVÍA MEJOR.

Todo esto hasta que conoció a mi madre haciendo la mili en su pueblo: BARBASTRO.

Mi madre se enamoró de ese chico tan RUBIO con pinta de AMERICANO y vestido de uniforme. Mi madre acabó viniéndose a vivir a BARCELONA con mi padre y se trajo a sus padres (MIS ABUELOS) con ella. Se fueron a vivir al BUEN PASTOR y al poco tiempo de nacer yo se mudaron a la SAGRERA, como siempre quiso mi padre.

Y allí se terminó el ROCK'N'ROLL. Mi padre siempre contaba que mi madre le hizo cortarse las patillas

Mi padre dejó de bailar porque mi madre no sabía.

Yo qué sé... El hombre haría balance en su vida y pensó que ~~tener~~ el amor y tener una familia le compensaba

En medio de todo esto, nací yo. Mi padre, sin hacer absolutamente nada y sin apenas hablarme de música, me transmitió su pasión juvenil por el Rock, por eso hablo de algo genético, porque no es algo que compartiéramos de algún modo. Yo ya lo conocí cuando no era un rocker, sino más bien todo lo contrario, un respetable padre de familia.

Por no hacer, ni siquiera fumaba ni bebía alcohol. Tenía una foto de joven en la que salía fumando, pero decía que sólo era una cuestión de ESTÉTICA.

Recuerdo ir
con mi padre
a comprar
discos a la
calle PELAYO

De repente
encontró un
disco recopilatorio
de BUDDY HOLLY

Se le
iluminó
la cara

Puede que mi
padre tuviera
la edad que
yo tengo
ahora

Cuarenta y
algo

Entonces yo lo
veía como un
VIEJO

Ahora, al
tener esa edad,
lo veo muy
distinto

Yo creía que
ya no tenía
entusiasmo
por la
música

Y lo único
que realmente
le ocurría
era que la
vida lo
había separado
de ella

y ahora,
inesperadamente,
x habían
reencontrado

Y igual que
cuando te
reencuentras
con una antigua
novia a la que
has querido
mucho

BUDDY HOLLY

LA MÚSICA
son unas gafas

HIT
EMOCIONAL

Loquillo y los Trogloditas
Disco: El ritmo del garaje
Hit: Pégate a mí

Muchos de los que me conocen se habrían dado cuenta...

Que desde hace un tiempo llevo tupé.

A veces me siento un poco gilipollas

Me hace cara de PEPINO y parezco tener la crisis de los 40

Pero en realidad fue a RAÍZ de la muerte de mi padre

Al tiempo pensé que sería un homenaje chulo para él

mi padre era Rocker

ya lo expliqué en el PRIMER Hit emocional

Con el tupé me parezco mucho más

Al mirarme al espejo...

Cada mañana

Lo veo un poco a él.

Soy su único descendiente

y llevo su corona de chulito del BUEN PASTOR

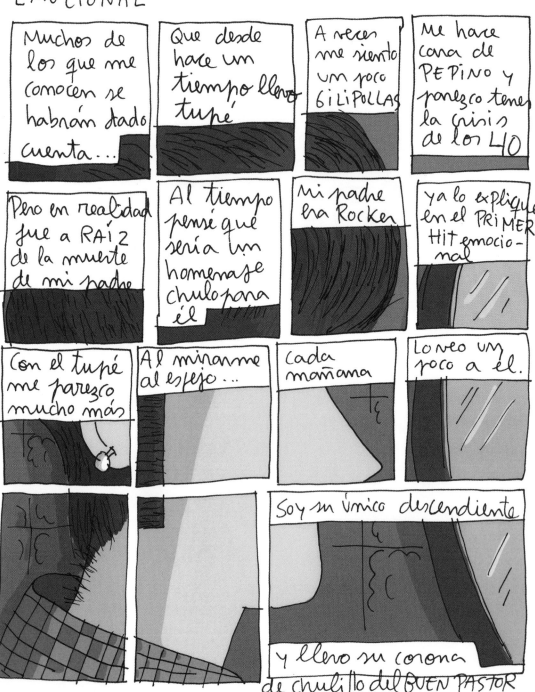

Cada estilo musical
tiene su peinado

Mi padre nunca me condicionó de ningún modo con la música, como mucho ponía una recopilación que tenía de BUDDY HOLLY hasta que acabé odiando profundamente la canción "Peggy Sue".

En la pre adolescencia empezó mi interés real por la música y tras la muerte de mi padre me di cuenta de todo esto. El por qué de mis patillas, el por qué de mi tupé, por qué me gustan tanto las CONVERSE y por qué me gusta el rock en todas sus vertientes, de un modo tan amplio. Me gusta todo tipo de música, incluso el POP. En su mayoría, de influencia anglosajona. Todo por herencia, claro. Todo por el antepasado inglés que casi seguro era un hijo de la gran PUTA.

← me lo imagino así

Tal vez esa pasión por el ROCK, tanto a mi padre como a mí, nos viene de la rebeldía. El Rock siempre ha sido rebelde, habernos criado, tanto mi padre como yo, en un barrio, nos hizo sentir distintos, éramos los raros del barrio. Los raros en un BARRIO oBRERO y, por otra parte, los raros frente a la gente de pasta. Mi padre quería salir del BARRIO, todo eso es el ROCK, actitud orgullosa, no querer ser menos que nadie y romper las barreras, no limitarte a lo que está escrito para ti.

Tanto mi padre como yo llevamos nuestra sangre más allá. Él salió del BUEN PASTOR y yo finalmente he sido artista y vivo a mi manera, en libertad, sin dar cuentas a nadie.

Quiero creer que he recogido el testigo de mi padre y que he hecho sus sueños realidad, y que ahora son los míos.

Él, digamos que dejó el Rock para fundar una familia, para tenerme a mí, ahora puedo seguir yo. Ahora no es necesario renunciar a ese tipo de cosas para vivir. Al menos para mí, ha sido mucho más fácil gracias a él.

Papá

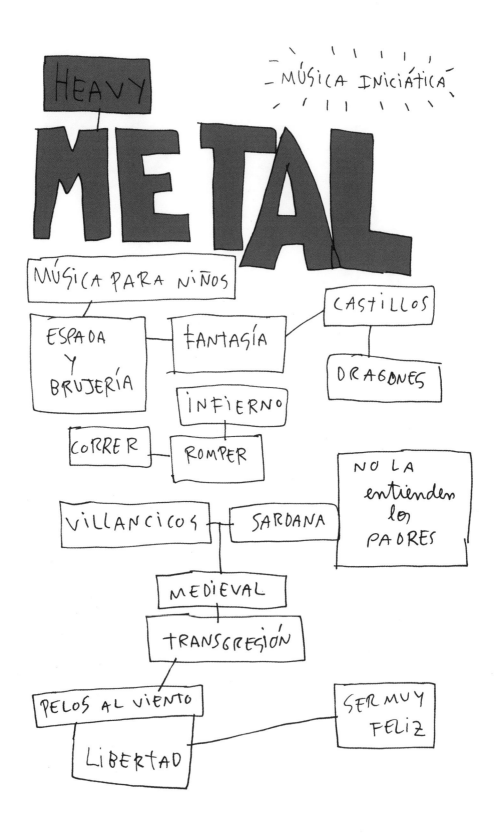

LISTA GRUPOS HEAVY METAL

- IRON MAIDEN —————→ El Primero de MAIDEN es
- HELLOWEEN   más ROCK
- SCORPIONS
- JUDAS PRIEST   ⟶ Éstos son más ↖↗ ROCK
- AC&DC ————   ROCK
- MOTORHEAD ——   y molan
- BLACK SABBATH   MÁS
  (con OZZY) ⟶ Son los   cuando
                    BEATLES del   te haces
                    HEAVY   mayor,
                                        te mola
MAIDEN MOLAN SIEMPRE   más que
                                        sean
                                        ROCK

| GRIND CORE |

- NAPALM DEATH
- CARCASS

Lista de
GRUPOS
THRASH

- METALLICA ——— SEPULTURA
- ANTHRAX
- TESTAMENT
- VOÏVOD ————⟶ los más raros
- CORONER
- SLAYER | DEATH METAL |
- PANTERA (son de   + DEATH
           fuego)   - OBITUARY
- MEGADETH   - DEICIDE ← MOLAN
                los   - MORBID ANGEL
              mejores   - ENTOMBED
                                 GODFLESH (no son death)

| METAL de AHORA | que me gusta

- NEUROSIS → los mejores sin duda (música más
                                              allá
- MASTODON   del
- MESHUGGAH → alucinantes   HEAVY)
- CULT OF LUNA
- Behemoth

| BLACK METAL |

- BURZUM → Mató al cantante de
              otro GRUPO y
- IMMORTAL   quemaba iglesias
Dan   pero los discos son increíbles
mucha
risa

Me gustaría hablar de todos estos
grupos que me encantan, pero
estaría hasta mañana. mejor
escucharlos.

Faltan
muchos
grupos

Falta
  KREATOR (THRASH)

tiene un
disco con la
portada de una
foto de una
           iglesia que
él mismo quemó

LETRAS GUAPAS

EMOCIONAL

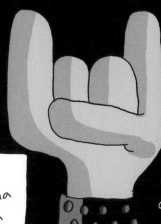

Grupo: SUNN O)))
Canción: Big Church
Disco: MONOLITHS & DIMENSIONS

← SÍMBOLO TRANSGRESOR

La MÚSICA experimental con más seguidores del MUNDO

EL METAL, para muchos, siempre ha sido una música chona, bruta y para GARRULOS

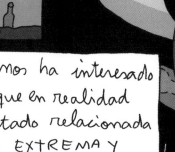

SATÁN Y el MAL como SÍMBOLO de la TRANSGRESIÓN ✝

Sólo a los que nos ha interesado hemos salido que en realidad siempre ha estado relacionada con la música EXTREMA y lo extremo con lo EXPERIMENTAL

La GUITARRA imaginaria es un CONCEPTO &perimental

Desde NAPALM DEATH

You SUFFER

PATATATÁ

CARCASS

La picha de UN MUERTO

GODFLESH

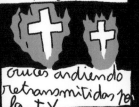

cruces ardiendo retransmitidas por la T.V.

EARTH

más arrastraos que la muerte

y ahora SUNN O)))

con sus CAPUCHAS

Los HEAVIES siguen dispuestos a ROMPER BARRERAS e ir más allá

Y con una masa fuerte de seguidores

HIT

EMOCIONAL

GRUPO:
CULT OF LUNA
CANCIÓN: the ONE
DISCO: VERTIKAL
(2013)

Música intensa com VOZ de BRUJO

Me prometí no vivir la vida de paso. Cuando mi madre estaba en el HOSPITAL, no quería tener esa vida ni terminar así. Por mi propia familia, debía llegar mas allá.

Me prometí no ver la vida desde el SOFÁ.

Cuando éramos jóvenes, un dia RAFA me dijo: "yo no le pido a mi vida que sea BUENA NI MALA, Sólo le pido que sea de verdad."

Quiero que mi vida sea intensa y verdadera. SUBIRME AL TREN, aunque sea el de la BRUJA

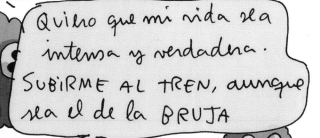

CONCIERTO DE SCORPIONS en el campo
del SANT ANDREU

Los dos primeros vinilos que me compré
fueron el primer e.P. de HELLOWEEN
y el Live After Death de IRON MAIDEN.

La decisión fue súper meditada. Antes,
comprar un disco no era cualquier cosa.
Valía dinero y, si era malo, no te podías
comprar otro hasta dentro de mucho.

HiT

EMOCIONAL

GRUPO: ARCADE FIRE
CANCIÓN: INTERVENTION
DISCO: NEON BIBLE
(2007)

DELIRIOS DE GRANDEZA

Me gustaban mucho IRON MAIDEN

RUN to000 the hills

al escucharlos, me parecía poder hacer cualquier cosa. Como ahora con ARCADE FIRE.

tener la agradable sensación de subir a una cima

huir de lo mediocre

ser "el elegido" por uno mismo

No por Dios ni por los demás

No eres NADIE

Elegí ser dibujante como sucedáneo de la vida real...

era demasiado miedoso para triunfar en ella

Dibujando me comporté como si fuera un valiente. El mejor

Y me lo creí, aunque realmente no lo sea

La música puede hacerte creer lo que no eres

Y así puedes fantasear con conseguirlo.

IRON MAIDEN = ARCADE FIRE

NAAA, NA, NA, NA, NA, NA NAAA, NA

WAKE UP

esto que estoy haciendo es BUENÍSIMO

El mejor

SENTIMIENTO ÉPICO

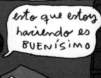

Mi primer amigo HEAVY fue Marc PUGA, era el vecino del mismo rellano. Ahora mismo no recuerdo bien cómo nos aficionamos al metal. Él tenía muchos más discos que yo y me los grababa en cassette. O nos comprábamos un disco distinto cada uno y nos lo copiábamos intercambiado.

Nos pasábamos los cassettes por el patio de luces de la cocina

Marc

Puga

En casa de MARC veíamos VÍDEOS.

EL LIVE AFTER DEATH de MAIDEN lo veíamos una y otra vez. La parte en la que sale BRUCE DICKINSON con la máscara de plumaje en POWERSLAVE me hacía soñar, me encantaba. Y también la parte instrumental de "THE rime of the ancient marines"

Plumas →

VÍDEOS

También veíamos un montón de vídeos de grupos de los 80 que le gustaban a su hermana, MARTA.

Era amigo de los tres hermanos PUGA: MARTA, MARC Y PAU.

Recuerdo ver el vídeo del FAITH de GEORGE MICHAEL, nos gustaba mucho su estilo, con esa barba a medio afeitar; entonces no sabíamos que era ~~maricón~~ GAY. Bailaba muy bien. Queríamos ser de mayores como él.

También veíamos el vídeo de AHA de los dibujos animados, RICK ASTLEY, PET SHOP BOYS, NEW ORDER, no sé, todo lo que había aquellos años, MADONNA...

NOS GUSTABAN TODOS.

¡ERAN VIDEO CLIPS!

Josep ↗ Era un padre moderno.

Josep, el padre de los PUGA, tenía
muchos discos y a veces los escuchábamos

- DIRE STRAITS
- LED ZEPPELIN
- IRON BUTTERFLY → IN A GADDA DA VIDA
- QUEEN
  y más...
  - ALAN PARSONS

Era PROTO HEAVY,
nos molaba el solo
de BATERÍA

En general, música actualmente algo denostada,
pero a mí me sigue gustando, en parte por
los recuerdos.
DIRE STRAITS también.

El primer músico que recuerdo que me gustó fue ~~el~~ Loquillo.

Luego, cuando entré en la edad del pavo y de la risa tonta, me gustaron Los Toreros Muertos; fue el segundo cassette que me compré. No estoy muy orgulloso de ser fan de LOS TOREROS MUERTOS, nunca más los he vuelto a escuchar, nunca más me gustó la música de BROMA.

Mi pasión musical verdadera vino por

El logo tiene unos morritos muy graciosos

A Marc y a mí nos volvían locos. Decíamos siempre que era el mejor grupo ESPAÑOL.

HiT

EMOCIONAL

GRUPO: BARÓN ROJO
CANCION: HiJos de CAÍN
DISCO: En un lugar de la MARCHA (1985)

> La Biblia cuenta una historia
> que un dios terrible dictó,
> el drama de dos hermanos,
> el justo y el traidor. ABEL,
> mezquino y COBARDE, el
> siervo de su señor. CAÍN,
> que no entró en el juego
> y que se REBELÓ

Mi barrio era un barrio de heavies.

Y nosotros cuando éramos niños e íbamos de excursión, en lugar de cantar canciones infantiles, cantábamos BARÓN ROJO, éramos HiJos de CAÍN. En el fondo cantábamos en contra de lo establecido. Tan pequeños y, sin saberlo, ya nos sentíamos puteados. REBELDES de excursión. En contra de los profesores y de las normas. ¿Qué habrá sido de todos esos niños del AUTOCAR? de unos sé, de otros no. El sistema x los comió como a todos: el dinero, las facturas, la familia, el trabajo. En ese autocar no nos llevaban de excursión. Nos llevaban al redil. Nos llevaban a un lugar sin sueños y nosotros alegremente íbamos cantando.

MARÍN

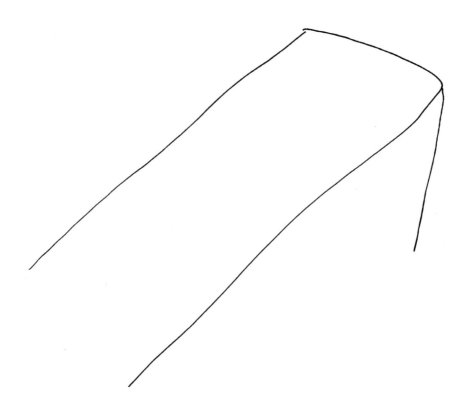

Ser HEAVY era ser guay, te daba una pátina
de modernidad y peligrosidad, eso es el
ROCK. Ahora ya no hay ROCK con ese
rollo moderno, se ve añejo le toques como
lo toques, pero entonces era música moderna
y peligrosa. Los discos ~~lo~~ HEAVIES
los escondías para que no los vieran los
padres. ERA PERTENECER A ALGO PROHIBIDO,
a algo muy serio.

Canción: Va a estallar el OBÚS
GRUPO: OBÚS
DISCO: PREPÁRATE (1981)

EMOCIONAL

http://www.youtube.com/watch?v=vrQVPX27x90

Hoy: Gran documento Histórico / ver video en YouTube

Me lo mandó CHUSO a través de FACEBOOK. El asunto era los ~~los~~ heavies también desayunan"

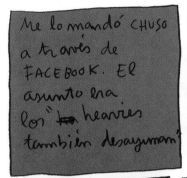

AÑO 82 (valle del KAS)

¡Qué ESPAÑA! ahí crecimos muchos de los que ahora tenemos entre 35 y 40

¿de dónde venimos?

¿A dónde vamos?

Me imagino qué harían estos pintas si se cruzaran en su paseo con Richard Ashcroft...

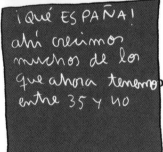

En su paseíto de Bitter Sweet Symphony

En un CRUCE de VIDEO CLIPS ?

Le darían una buena SOMANTA de PALOS

maricón   Julai
tú mierda

A todos los jóvenes y a los que no son de aquí: ESO ERA ESPAÑA. todo lo demás, MARICONADAS

84

Mis padres, para mi cumpleaños, me regalaron un equipo de música. ████████

Supongo que era buenísimo porque todavía es el que tengo. Funciona y suena muy bien. ES PIONEER y mi padre lo compró en BAZAR el REGALO, creo que ya no existe. Y tiene los altavoces de MADERA ↘

Fue el mejor regalo que me hicieron.

Antes de ~~escuchar~~ tener el equipo de música, escuchaba los cassettes en una doble pletina.

Me la regalaron también mis padres, como casi todo, para copiar juegos de ordenador, pero al poco tiempo la música sustituyó a los juegos del SPECTRUM 48k.

EL HEAVY también nos gustaba
por la fantasía y las portadas. Eddie,
la mascota de IRON MAIDEN, nos encantaba.

Todas sus portadas tenían misterios e
interpretaciones. Recuerdo copiar los dibujos
compulsivamente y llenar la mesa de la
clase con dibujos de EDDIE.

Un año, el profesor no me dio las notas
de fin de curso hasta que no hube limpiado
la mesa. Me esperó con una bayeta en
una mano y las notas en la otra.

Me dio mucha pena borrar mis obras
de arte.

qué
guapada

EL HEAVY, poco a poco, a medida que me fui haciendo mayor, me fue decepcionando, sobre todo por el AMBIENTE en los conciertos y la gente. Eran todos muy brutos, olía a sudor y a CERVEZA, No era un mundo medieval y de fantasía a lo DRAGONES Y MAZMORRAS.

Al final dejé de ir a conciertos y poco a poco me fui alejando, No encajaba con mi forma de ser. El indie me pegaba mucho más.

Ahora de mayor vuelvo a escuchar METAL, medio por NOSTALGIA y medio por afición.

Lo del HEAVY se convirtió en una escalada, cada vez quería música más "fuerte".

Del

HEAVY METAL

me pasé al

THRSH METAL

del tHRASH AL

DEATH METAL

GRIND CORE ...

Durante mucho tiempo METALLICA fueron mi grupo preferido, hasta que sacaron el PUTO ÁLBUM NEGRO, que fue uno de los disgustos más grandes de mi vida.

METALLICA

EL DISGUSTO MÁS GRANDE

tema: ENTER SANDMAN
Disco: "BLACK ALBUM"
1991

Podría decir que fue la muerte de KURT COBAIN o la separación de los PIXIES, y quedar de PUTA MADRE

Pero NO, lo peor de mi vida fue cuando METALLICA sacaron el Puto ÁLBUM NEGRO

Recuerdo ir a comprarlo con mi amigo MARC

©DISCOS CASTELLÓ

ilusionado

Por fin lo han sacado

Sí tío, qué cabrones

Esperando tocar el cielo escuchando sus ritmos machacones

Alimentando nuestros pequeños EGOS METÁLICOS

Los heavies somos los mejores

Pero ¿cuál fue nuestra sorpresa después de escuchar la intro?

Ahora viene la caña

La primera canción de todos los discos de METALLICA era la más fuerte y "ENTER SANDMAN" era floja, era Heavy LIGHT, era MOÑA

¡¡El Productor era el PUTO Productor de BON JOVI!!

El batería, LARS ULRICH, ahora tocala la batería sacando la lengua a lo MÖTLEY CRÜE

DABA MUCHO ASCO

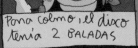
Para colmo ¡el disco tenía 2 BALADAS!

Y Nosotros nos negábamos a aceptar la realidad

Hombre, cuando dice "exit lai enter nai", MOLA

tiro LIRO TATATA
tiro LIRO TATATA

A Marc le dejó de gustar el HEAVY antes que a mí. Nos empezamos a distanciar, creo que por una chica, no lo recuerdo muy bien.

Al poco tiempo a MARC le dio un ataque cerebral. El día de antes habíamos ~~discutido~~ discutido, yo creí que ~~el ataque le~~ le había dado el ataque por esto, me sentí muy MAL, creí que se iba a MORIR. Después de esto poco a poco MARC fue dejando de escuchar HEAVY, ~~y~~ no sé si por el ataque o por otra cosa, pero a partir de ahí nos fuimos distanciando y yo hice amigos nuevos, JAIME y el PERE.

Al poco tiempo, MARC y su familia se mudaron de casa y dejamos de ser VECINOS.

HIT
EMOCIONAL

Canción: WHITE HEAT, RED HOT
GRUPO: JUDAS PRIEST
DISCO: STAINED CLASS (1978)

mi amigo MARC PUGA

EL ESPÍRITU DEL METAL

El otro día buscando VÍDEO CLIPS HEAVYS antiguos en el "YOUTUBE", encontré un montón de vídeos de niños pre-adolescentes haciendo el BURRO en su habitación con canciones clásicas del METAL

ESPUMA DE AFEITAR

METALLICA

YO GRABABA

niños desfogándose imitando a sus ídolos, con más pasión y entrega que los mismos grupos?

CALOR   SUDOR

Almohadas que son guitarras

Reglas y ESCUADRAS

Baquetas con ROTULADORES

tambores de COLCHÓN

saltos al vacío para caer en Blando

JAIME de 12 TWELVE
← sofá

Nosotros, mismos lo hacíamos a su edad

PAU   JAIME   MARC   YO

Jugar a hacer el Bestia

caras de MALO

Éste es el auténtico espíritu del METAL

Niños que experimentan con la TRANS-GRESIÓN como pueden

satán   666

en su pequeño mundo. Reprimidos y sin salidas

LOS BLOQUES

Niños intentando reventar las paredes de sus pequeñas habitaciones y ser libres

ÉSA ES LA GRANDEZA del METAL.

Marc y yo nos fuimos alejando,
pero la música se quedó.

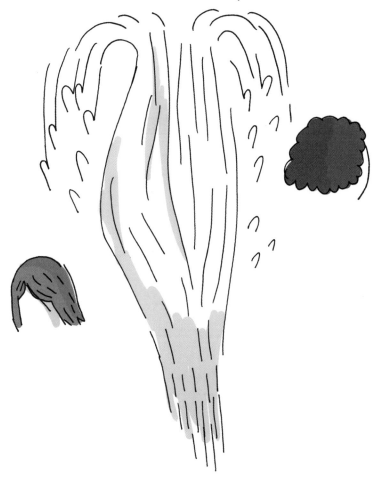

JAIME

Jaime Luis Pantaleón

Conocí a Jaime en el instituto, a pesar de ser del mismo barrio.

Mi aspecto era y es de ENCLENQUE.

JAIME contaba que su amigo VIRGILIO y él se reían de mí al verme salir del metro. Se reían al verme con mi carpeta de dibujos sujeta con mis brazos finos.

JA JA JA JA JA

Siempre va con su camisetita de ANTIFAZ cómic

era una camiseta que me regalaron de una librería.

Jaime es la persona que conozco que más sabe de música y el que tiene más discos. Es un sabio musical, aunque es muy gruñón con ese tema.

Jaime es capaz de juzgar a las personas por el tipo de música que escuchan.

EVIDENTEMENTE lo dice como algo malo

Jaime, si se lo proponía, podía ser un auténtico TALIBÁN, incluso podía hacer llorar

Esto lo hizo una vez

Recuerdo encontrármelo en la tienda de DISCOS PELAYO 14 cuando sólo éramos compañeros de clase y recomendarle un par de discos. Él todavía no escuchaba HEAVY, le gustaba el Rock de los 70, sobre todo PINK FLOYD y los Rolling Stones. Le pasé EL Apetite for Destruction de GUN*S'N'ROSES y creo que el MASTER OF PUPPETS de METALLICA, pero este último no lo recuerdo BIEN.

¡Hostia, JAIME!

Desde ese día se hizo HEAVY

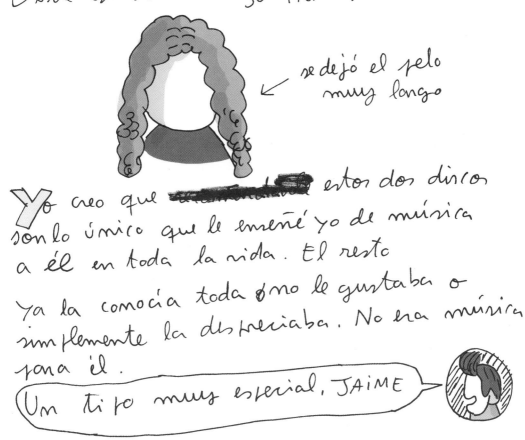

se dejó el pelo
muy largo

Yo creo que ~~actualmente~~ estos dos discos
son lo único que le enseñé yo de música
a él en toda la vida. El resto
ya la conocía toda o no le gustaba o
simplemente la despreciaba. No era música
para él.

Un tipo muy especial, JAIME

Siempre que se iniciaba en un
género musical lo devoraba todo con
avidez. Se lo aprendía todo, hasta que
poco a poco se iba radicalizando, buscando
la pureza extrema del género. Y así, al
final, encontraba a los traidores del ESTILO
hasta prácticamente sólo tolerar un par
de GRUPOS que consideraba los buenos
de verdad.

Incluso dentro de los mismos grupos consideraba que tenían discos buenos o etapas buenas hasta que interpretaba que el grupo se había vendido a lo comercial. Había grupos de los que sólo aceptaba un disco y el resto de la discografía era basura o alta tRAiCióN.

Éste es el disco MALO

NOTA: JAiME es fetichista de los Discos. No suele PRESTARLOS. tiENE UNA GRAN COLECCióN

Jaime se lo toma muy a pecho, hasta se enfada. Yo soy más relajado con esto.

La música nos unía, pero por esto mismo también nos separó en cierta manera.

Uno de los casos más representativos de esto, cuando ya no escuchábamos principalmente HEAVY, fue cuando MERCURY REV sacó el DESERTER'S SONGS, disco que a mí me encanta y que a JAIME le pareció la traición de uno de sus grupos preferidos. ~~xxxxxxxxxx~~

Y todo porque cambiaron de estilo y sacaron un disco "BONITO" como decía él despectivaMENTE.

ANTES

HIT
EMOCIONAL

TÍTULO: CHASING A BEE
GRUPO: MERCURY REV
DISCO: YERSELF IS STEAM (1991)

La PREMONICIÓN de DAVID BAKER (El primer cantante de) MERCURY REV

Después

HiT

GRUPO: MERCURY REV
DISCO: ALL IS DREAM (2001
TEMA: NITE and FOG

EMOCIONAL

Muchos días no me levantaría de la cama

Si no fuera por escuchar algo de música nueva

La realidad, escuchando música, se parece más a los sueños

Donde todo fluye sin barreras

La música deja fluir las emociones

En los sueños fluyen solas

Cada día sueño muchas cosas

hablo con mis padres

Libero FRUSTRA- CIONES

LLORO

RIO

Quiero hasta el infinito

Doy cariño a mi perrita

Nunca he sentido tantas emociones como soñando

todas las que no me permito despierto

105

Con Jaime hicimos un largo camino juntos escuchando música

Nos encantaban SEPULTURA. Incluso llegamos a salir en un vídeo oficial que grabaron en Barcelona.

EMOCIONAL

GRUPO: SEPULTURA
DISCO: ARISE (1991)
CANCIÓN: ARISE

ZELESTE

No sabíamos que íbam a GRABAR el concierto

Lo anunció MAX CAVALERA antes de empezar

BARCELOOOONA

La sala se vino abajo

UEEEEEEE

Pere Romero entró con una entrada fotocopiada

¡¡HE ENTRADO!!

Algo inaudito. Había tanta gente que era imposible controlar bien el acceso

Jaime se puso una camiseta imperio color CALZONCILLO (AZUL)

Hubo varios heridos

Uno saltó desde el escenario y nadie la cogió

A otro lo cosieron a puñetazos por ir rapado

Otro saltó desde la parte de arriba, donde estábamos

En el vídeo se le ve caer

ACABAMOS con las CERVICALES destrozadas y el cuello BLANDO

JAIME se preguntó todo el concierto si con la cabeza debía seguir el ritmo de la GUITARRA o de la BATERÍA.

JAIME ha tocado en muchos grupos, el más conocido fue 12twelve. ~~Jaime~~ ~~pero~~ ~~que~~ ~~mas~~ ~~se~~ ~~ha~~ ~~enamorado~~ ~~de~~ ~~música,~~ Todavía escucho grupos que me enseñó y que no entendí en su momento.

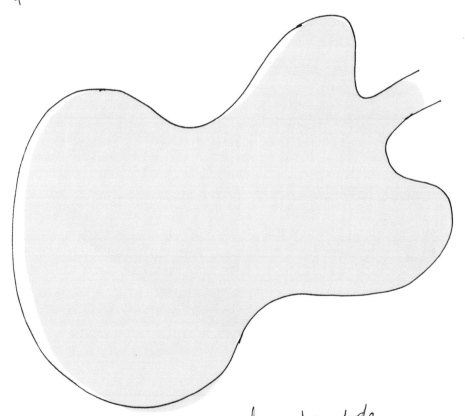

Hay un hombre que lo sabe todo.

El cementerio

COLECCIONISTAS:

La música, gracias a la tecnología, vuelve a ser algo inmaterial. En el fondo es muy absurdo acumular copias en casa.

La música nunca había sido algo físico y en el fondo es algo muy reciente. Antes pertenecía al que la tocaba y cantaba y, al otro lado, al que la escuchaba.

Nuestra generación creo que va a quedar como la generación que tenía la casa llena de cosas. Todas nuestras casas tienen algo de cementerio. FRAGMENTOS y copias del pasado en muebles y estanterías.

Me ponen triste los coleccionistas como mi tío y como JAIME, con ese apego a los objetos y esa idea de la acumulación como una forma de retener el pasado y parar el tiempo.

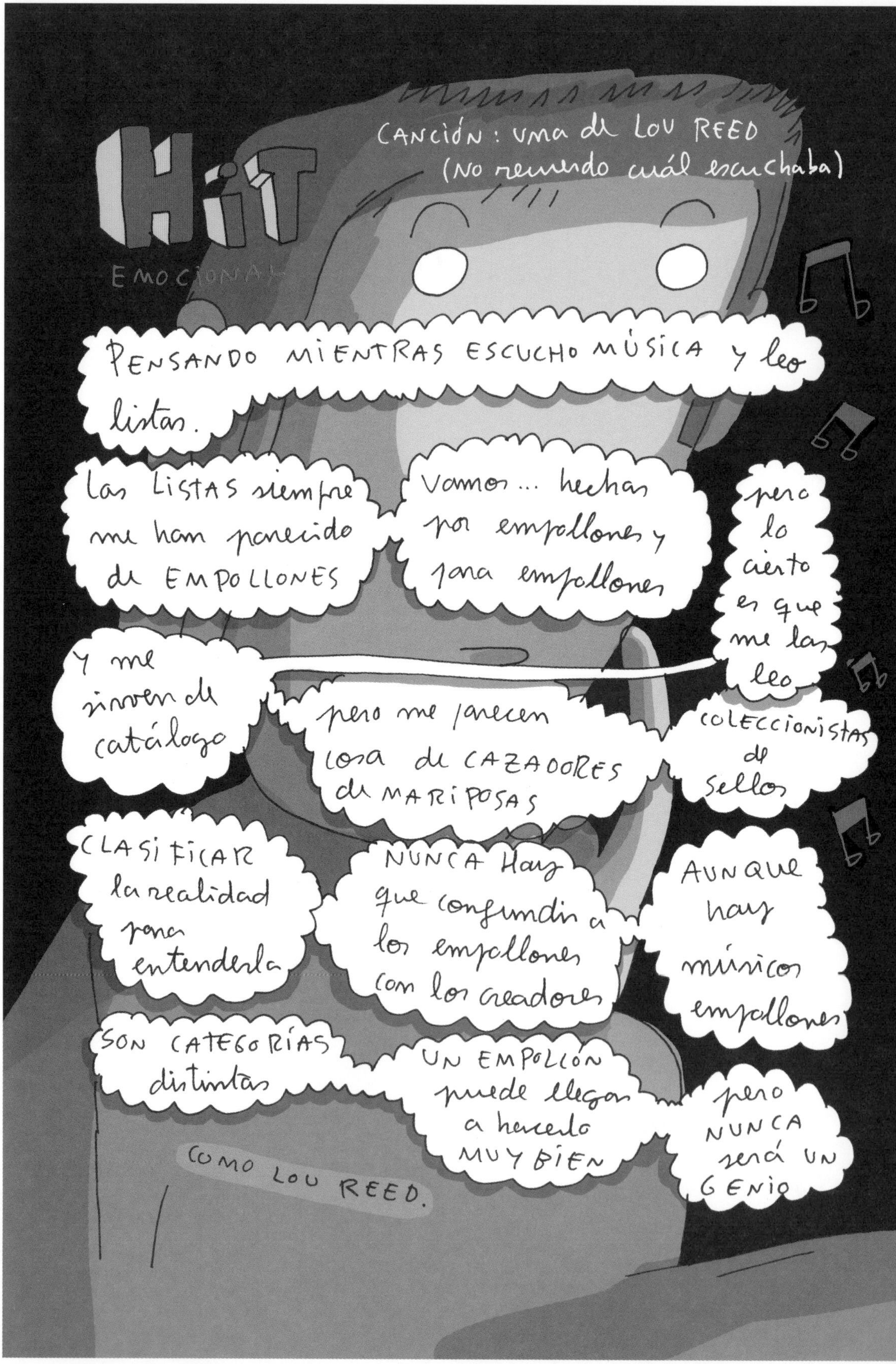
HIT
EMOCIONAL
CANCIÓN: una de LOU REED (No recuerdo cuál escuchaba)
PENSANDO MIENTRAS ESCUCHO MÚSICA y leo listas.
las LISTAS siempre me han parecido de EMPOLLONES
vamos... hechas por empollones y para empollones
pero lo cierto es que me las leo
y me sirven de catálogo
pero me parecen cosa de CAZADORES de MARIPOSAS
COLECCIONISTAS de sellos
CLASIFICAR la realidad para entenderla
NUNCA Hay que confundir a los empollones con los creadores
AUNQUE hay músicos empollones
SON CATEGORÍAS distintas
UN EMPOLLÓN puede llegar a hacerlo MUY BIEN
pero NUNCA será un GENIO
COMO LOU REED.

EL

FEELING

Lo es todo

Jaime me enseñó mucho de música,
pero lo más importante que aprendí de él
fue algo que ha sido una guía
en mi vida y en mi trabajo, es algo
que me ha ayudado a crecer. Me refiero
a la idea de que todo está gobernado
por las emociones y no hay nada más
importante que eso. Eso lo aprendí de
Jaime, igual para algunos es una
OBVIEDAD, pero yo lo aprendí de él. Y encima
hay que tener en cuenta que Jaime es
algo más joven que yo. Es un SABIO.
PODRÍA DECIR TRANQUILAMENTE QUE ESTA
IDEA ES MI BANDERA

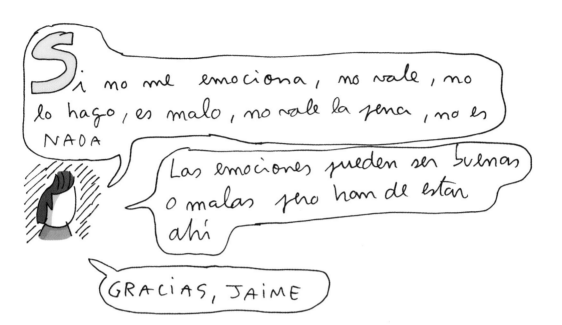

Si no me emociona, no vale, no lo hago, es malo, no vale la pena, no es NADA

Las emociones pueden ser buenas o malas pero han de estar ahí

GRACIAS, JAIME

Para Jaime una forma de VALORAR las cosas es diciendo:

tiene FEELING

NO TIENE FEELING

JAIME ES PURA INTEN-SIDAD EMOCIONAL

Es su carisma.

Los que lo conocen me darán la razón, no deja a nadie indiferente.

Tiene una capacidad de sentir fuera de lo NORMAL, es capaz de emocionarse con cosas que nosotros ni soñamos, es capaz de ponérsele la piel de gallina con un disco de DEATH METAL y decir que es una pena que no te guste el DEATH porque tiene un "FEELING" muy especial.

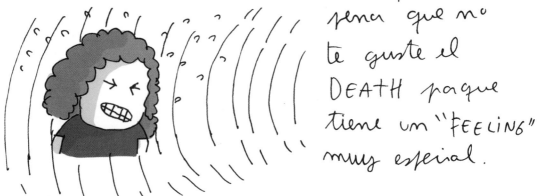

También se puede emocionar con JULIO IGLESIAS o PAVEMENT, una cosa no quita la otra, como decía antes, lo que importa es el FEELING.

AAAARG

A Jaime lo he visto correr y llorar a la vez con su melena al viento de pura emoción. Lo he visto gritar y arrojar al suelo piedras más grandes que su cabeza por sentir que había traicionado nuestra amistad.

AAAAAH

he traicionado a mi amigo

← Vive la vida de un modo épico

Un tío intenso desde niño. Y muy muy gracioso. La amistad, si no hay risa, es una amistad de GILIPOLLAS. ME he encontrado alguna vez con amigos que no se ríen y dan mucho ASCO. →

→ Amigos de esos que se respetan. La amistad ha de ser pura y SALVAJE y JAIME es así.

JA JA
JA

JA

JA

JA JA

JA

JA JA

JA

Jaime fue mi mejor amigo durante muchos años. Ese amigo/novio tan especial a esa EDAD. Al conocer a CHICAS y echarnos NOVIA ya se fue el CARRO /a el PEDREGAL y nos fuimos separando poco a poco. Eso sí, el amor sigue igual.
Nos seguimos queriendo y si uno de nosotros estuviera atrapado en un fuego, iríamos a salvarnos sin miedo a morir ABRASADOS, como algo superior a nosotros mismos.
Esto último que NADIE lo ponga en DUDA.

JAIMEE, SOCORROO

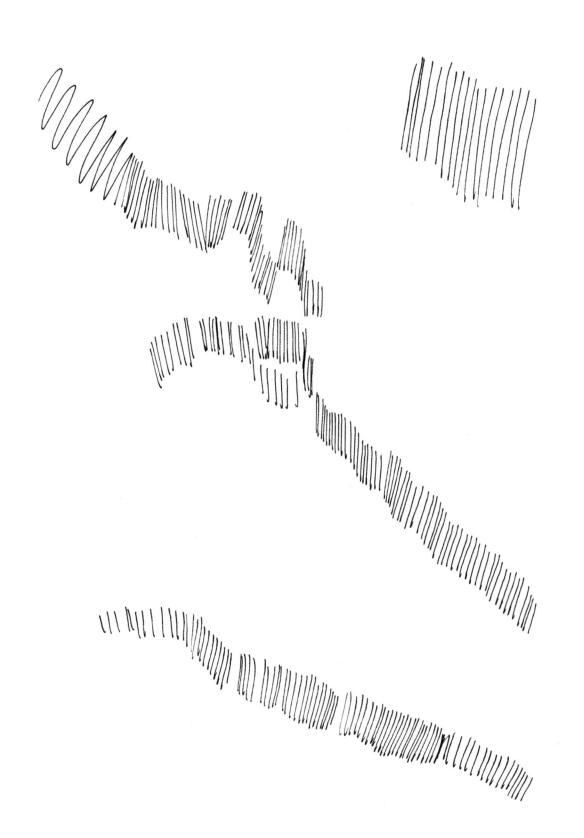

HiT

LA VOZ MÁS CAVERNOSA del DEATH METAL

CANCIÓN : INFECTED
DISCO : CAUSE OF DEATH
GRUPO : OBITUARY

Entre el HEAVY y el indie hubo una etapa de transición con grupos que me gustaron mucho y que en el fondo eran medio HEAVIES. Ahora los llamo de heavys reciclado. GRUPOS como Jane's ADDICTION, NINE INCH NAILS, SOUNDGARDEN y el GRUNGE en general, el bochio del FUNKY METAL, Red Hot CHILLY PEPPERS, FAITH no More. Ahora los vuelvo a escuchar a todos con la CRISIS de los 40.

Escuchar grupos malos de cuando eras joven es muy de estar en CRISIS

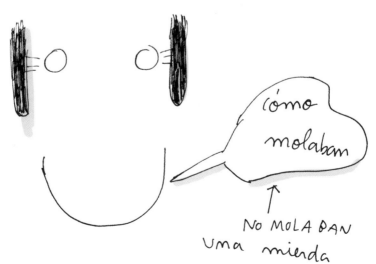

cómo molaban

↑
NO MOLABAN
una mierda

~~Discos~~

GRUPOS GRUNGE que me
gustan
→ ~~Se~~ El cantante
SACO   MAD SEASON

- ALICE IN CHAINS
- PEARL JAM
- SONND GARDEN
- NIRVANA

→ estos dos son
HEAVY ~~Si~~ Reciclado

→ los que menos me gustan

El Grunge en realidad es HEAVY,
todos nos pasamos al GRUNGE.
igual que el   STONER lo fue más tarde

GRUPOS   STONER que me gustan

_ NEBULA ← los que más

- KYUSS
- FU-MANCHU
- KADABAR → son más recientes
- QUEENS OF STONE AGE ← sólo me
                          gusta el
                          PRIMERO

Hay grupos que al escucharlos por primera vez no entiendes nada, pero que luego te acompañan para siempre.

Con el primer grupo que me pasó fue con METALLICA, en concreto con el disco "AND JUSTICE FOR ALL": me sonaba a un helicóptero, a un carpintero con un serrucho, a gaitas ralentizadas

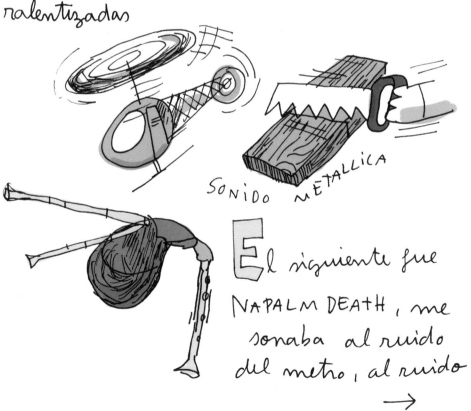

SONIDO METALLICA

El siguiente fue NAPALM DEATH, me sonaba al ruido del metro, al ruido

→

de una sierra eléctrica que corta metal, a un torno fresador y un perro. Todo eso escuchando el SCUM

SONIDO NAPALM

Al escuchar Jesus and Mary chain simplemente me pareció que estaba mal grabado, que el disco estaba mal prensado. Que cantaban metidos en una cueva

EL INDIE

SIN NOSTALGIA

SIN REFERENCIAS AL CHÁNDAL

Sin idealizar la JUVENTUD

SIN mierdas di"ANTES todo era MEJOR"

A LOS MUÑECOS

SIN CAMISETAS DE RAYAS

NO NAÏVE

SÓLO LA MÚSICA

MÚSICA INDEPENDIENTE

NO QUERÍAMOS CRECER

Libre

El indie es una de las etiquetas más absurdas que se han creado, sobre todo porque no hace referencia al sonido o al estilo, sino al mercado. Es música independiente de la industria comercial, o sea, que en principio no responde a las demandas del mercado, como si eso significara algo. Además, como todo movimiento cultural o artístico, termina siendo devorado por el sistema y acaba siendo mercancía, como todo.

Está claro que todo lo que no genere dinero como para ser sostenible, en nuestro mundo, no tiene razón de existir.

Al margen de esta evidencia, lo que está claro es que dentro de esa etiqueta cabía de todo...

126

... todo lo que se hiciera sin pretensiones comerciales o siguiendo la radio fórmula o en sellos pequeños que no se forraban vendiendo discos. (Como era de esperar, muchos acabaron ganando dinero y ~~la~~ la etiqueta acabó siendo un estilo en sí mismo. Acabó siendo algo comercial y vendiendo millones de copias. El paradigma de esto creo que fue NIRVANA. En cualquier caso a mí me pilló en plena juventud y, sin duda, en los orígenes, el INDIE era la cosa más libre y fresca que uno podía escuchar, y con voluntad experimental en muchos casos, que es lo que más me gustaba entonces. El indie sobre todo buscaba innovar hasta que se convirtió en un cliché, con sus tics y estéticas ABSURDAS: Rollo infantil, inocencia, ruidismo, pop ingenuo, ~~trad~~ experimentación con

VAYA CONCEPTO TRASNOCHADO

→

127

→ gaseosa, camisetas a rayas, espon-
taneidad, sonido casero, baja fidelidad...,
etc.

Entonces, como era joven y tonto, adopté
mucha de su estética en mis dibujos
y todavía sigo en ello.

Nunca he querido hacerme mayor, siempre he buscado la libertad, el hacer lo que me de la gana. Nunca quise trabajar. Con Jaime hicimos el juramento de no trabajar nunca. Ser artistas. Para mí la música

INDIE era eso.

87

tío, yo nunca voy a TRABAJAR

LA VIDA después no lo permitió

Cuando empecé a escuchar otros tipos de música, buscaba la misma intensidad que en el HEAVY. JESUS AND MARY CHAIN eran igual de intensos que el METAL o más, pero desde una perspectiva más adulta.

Siempre digo que el HEAVY es música infantil.

IRON MAIDEN suenan a VILLANCICOS

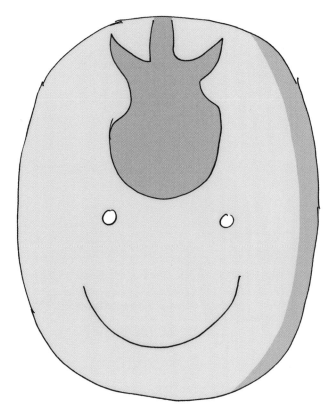

MiS GRUPOS INDiES PREFERIDOS

- SONIC YOUTH
- JESUS AND MARY CHAIN
- PAVEMENT
- SPACEMEN 3
- SPECTRUM
- WEDDING PRESENT
- MERCURY REV
- LOS PLANETAS
- SEBADOH
- DINOSAUR J.R
- FLYING SAUCER ATTACK
- MOGWAI

POST ROCK

LISTA ABSURDA
me gustan los BUENOS

ANNA RAMOS

Anna

Conocí a Anna en el instituto, recuerdo verla sentada en la última fila el primer día de clase. Di por hecho que ella y sus amigas eran unas "PIEZAS" por estar sentadas al final. Yo era el repetidor y recuerdo mirarlas con complicidad en, plan "somos del mismo bando". Pero qué va, resultó ser muy lista, pero sin ser empollona, igual que JAIME.

Al final, el único que sacaba malas notas era YO

última fila. todo chicas y ni una mala estudiante.

No lo recuerdo bien, pero si no me equivoco, Anna se acercó a nosotros porque le gustaba un amigo nuestro, Pere Romero. Tal vez se acercó porque éramos los que escuchábamos música e íbamos con el pelo largo (antes molaba)

LA CLASE RESUMIDA

A mí Anna no me gustó al principio, pero enseguida fue con la que mejor me llevé. En cambio, creía que me gustaba MAR, su mejor amiga. Nunca había salido con ninguna chica y no sabía cómo se gestionaba eso, me imagino que a MAR la veía más guapa. Pero al final, con la que me gustaba estar era con Anna ⟶

Yo creo que a ella le pasaba igual con PERE.

Anna era especialmente tímida y muy inteligente, era muy culta para la edad que teníamos, era muy guay estar con ella paque se aprendía mucho.

Siempre de los que he aprendido más ha sido de los amigos y de la gente con la que he ido.

HE SIDO MUY MAL ESTUDIANTE

He aprendido de hablar y OBSERVAR

Con Anna enseguida nos hicimos inseparables. Anna MOLABA MUCHO

A mi abuela no le gustaba mucho
por lo seria que era y por alguna vez que
x quedaba a dormir en el pueblo y no
me hacía la cama. Decía:

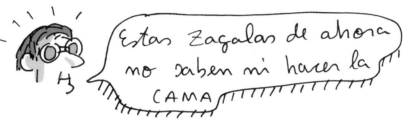

Estas zagalas de ahora
no saben ni hacer la
CAMA

Cosa que no era cierta, porque su cama
sí que la hacía, la que no hacía
era la mía. Mi abuela no podía entender
que las chicas de ahora ya no hicieran eso.
Encima Anna era feminista.

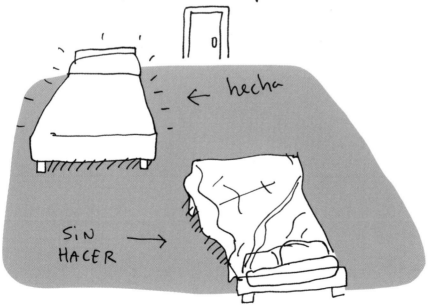

← hecha

SiN HACER →

Amma

timidez

Anna cuando quería tenía bastante mala sombra, pero era sólo por timidez. Es muy buena y el que la conoce bien lo sabe. RARA también lo es.

Tiene el pelo muy negro y los ojos también. Ahora debe de tener canas como yo. Tiene una mirada muy profunda que parece que te fotografíe el ALMA.

Cuando estábamos solos en su casa era muy distinta y cariñosa. Nos lo pasábamos muy bien escuchando discos y también nos dábamos <u>besos</u>. Era genial, tenía una habitación muy grande y muchos libros y discos. Me encantaba ir a su casa. Todo era muy ideal, hasta su hermano y sus padres. GENTE MUY FÁCIL de querer.

Así pasamos varios años hasta que conocía a otra chica, EVA, **Y** un buen día, en plan colega, se lo dije a Anna, yo era tan idiota que no me di cuenta de que ~~☒~~ éramos "PAREJA" y se lo comenté en ~~la~~ plan BUENA NOTICIA.

Siempre he sido un GILIPOLLAS

me mola otra tía

En plan he conocido a una tía "muy guay" que me gusta.

La pobre Anna se echó a llorar y yo no sé ni qué coño hice.

Siempre he sido UN CABRÓN con las mujeres y las he tratado fatal. Me he desvivido por ellas, he compartido todo con ellas y las he metido en mi vida hasta que de repente me he ido con otra.
SOY UN PUTO ASCO.

Supongo que ser hijo único y algo neurótico me hace egoísta e independiente.

Soy capaz de ir a mi BOLA y no necesitar a NADIE. Es algo que me da mucho que pensar, no he sido capaz de tener una relación como mis padres para toda la vida. Espero cambiar algún día.

La cuestión es que Amna lo pasó mal por mi culpa. Sólo fue la primera de una ristra.

También hay que decir que Amna no se comportaba demasiado como una novia, eso a mí me despistó bastante, creo. Yo no interpreté que fuera mi novia hasta demasiado tarde. También es cierto que éramos muy jóvenes.

Me siento como si fuera un
asesino a sueldo de ETA

También se fue radicalizando en el movimiento HARDCORE y VEGETARIANO/VEGANO

Me daba mucho la <u>tabarra</u> con eso

JODER

te vas a comer un CADÁVER

CADÁVER

CADÁVER

Era muy moderna

Ahora hay mucho VEGANO, pero antes no. Anna fue pionera en comer toFU y sucedáneos de CARNE. Yo para fastidiarla llamaba a todo eso <u>CARNE de BROMA</u>.

Igual en el fondo no pegábamos mucho. Después de darle el disgusto y de dejarlo fuimos bastante tiempo amigos, hasta que me pilló algo de manía por todo un poco, →

→ por mi rollo mercantil y mi estilo de vida BATURRO.

Siendo amigos, me siguió influyendo mucho con la música hasta que empezó a gustarle la música electrónica cada vez más radical.

Escúchate esto

vale

Se convirtió en uno de mis discos PREFERIDOS

(Gracias a Anna Ramos, Jaime y yo,
y después de escuchar tanto HEAVY, empezamos
a escuchar INDIE.   Paréntesis.→)

Cuando conocí a ~~Anna~~/ ella escuchaba música
de cantautoras POST HIPPIES o algo ~~así~~ así,
o feministas... No sé. Como SUZANNE VEGA
o TRACY CHAPMAN, cosa que a nosotros nos
hacía reír, pero enseguida empezó a escuchar a
PIXIES y grupos de HARDCORE como FUGAZI,
aunque a JAIME y a mí, al principio, el
HARDCORE no nos gustaba porque nos
parecía HEAVY malo. En cambio, el
INDIE sí nos gustó, y mucho. Jaime
lo conectó a su pasión por PINK FLOYD
y la experimentación, el ruido, las lindes
con la fuerza del HEAVY: la intensidad
podía ser parecida. A Jaime le interesaba
mucho la PSICODELIA y el "cuelgue" como
lo llamaba él. La EVASIÓN de la realidad.
                                    →

142

→ El indie le ofrecía todo eso mismo ~~✗~~
con grupos como ~~AEREO~~ los primeros
MERCURY REV, SPACEMEN3 o incluso
SONIC youth

HiT

Anna me prestó el "DIRTY" de SONIC youth

Lo escuchábamos con JAIME en casa

Como siempre

Jaime estaba emocionado

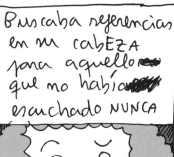
Buscaba referencias en mi CABEZA para aquello ~~que~~ que no había ~~✗✗~~ escuchado NUNCA

Para mí NO era nuevo

pero sólo lo había escuchado una vez

Jaime a cada TROZo que le recordaba a PINK FLOYD AVISABA

también decía que la 3ª CANCIÓN parecía GRIND CORE

TA
TA
TA
TA
TA

Yo no me preocupaba por entender tanto

Me parecía
SÚPER
ESTIMULANTE

AUNQUE entonces
~~no como~~ NO
usaba esta
palabra

bestia, punzante

MODERNO

Entonces no
tenía ni idea
de que iba a
ser mi GRUPO
PREFERIDO
tantos años

Ni que iba a
ir a PARÍS
a verlos
en directo

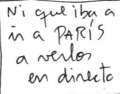

Ni que los
escucharía ahora,
20 años después

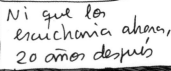

Ni que me
ayudarían a
recordar
todo esto

ÉRAMOS CHAVALES

ANNA, JAIME, YO.

144

HiT

this MONKEY GONE to HEAVEN (PIXIES)

Ésta fue la primera canción INDIE que me gustó sin saber ni siquiera qué era el INDIE (todavía era un HEAVY)

Recuerdo ver el vídeo en la tele con mi ABUELA haciendo media al lado. Mientras esperaba que ANNA llamara por tLF. para hacer algo ... no recuerdo el qué,

Sólo para hablar un rato, igual... ESTAR ahí... charlar. todo ERA NUEVO y emocionante, teníamos 20 años o menos. Hablábamos por teléfono hasta que su madre o la mía nos hacían colgar. O si ANNA se daba cuenta de que su madre descolgaba el supletorio para escuchar las toNTERÍAS que decíamos. Yo sólo escuchaba un "cLIC" y Acto seguido ANNA decía en un tono monocorde.

MAMÁ, CUELGA.

Anna en un viaje con el instituto a PARIS y Amsterdam me dejó el NEVERMIND THE BOLLOXKS de los SEX PISTOLS y aluciné, era duro sin ser HEAVY, espontáneo y sin solos "brasa" de guitarra. Johny Rotten alargaba las sílabas finales al cantar, como James HEATFIELD de METALLICA. Ahí descubrí que todo viene de algún lugar

GRUPO: SOUNDGARDEN
CANCIÓN: ~~BADMOTORFINGER~~ OUTSHINED
DISCO: BAD MOTORFINGER (1991)

EMOCIONAL

Ahora que hace 20 años de la muerte de KURT COBAIN, recuerdo que no me gustaban mucho NIRVANA, me gustaban mucho más SOUND GARDEN con su rollo poderoso. Yo es que de joven era HEAVY. Además, a ANNA RAMOS le gustaba CHRIS CORNELL porque estaba muy bueno. Y ANNA era mi "AMIGA" y me enseñaba mucho sobre música. Ahora estoy seguro de que lo niega todo, ni siquiera me habla. Me contaron el otro día que ha sido madre. Me pregunto si la criatura tendrá esos ojos NEGROS y profundos como ella. Mi madre decía que tenía mirada de persona muy inteligente.

"AMIGA" ="! NOVIA

ANNA siempre ha odiado la NOSTALGIA ~~Y YO~~, ~~ya~~ hace 20 años, YA era UN NOSTÁLGICO, cuando todavía no había perdido CASI NADA.

Con Jaime montamos un grupo casero.
Yo no sabía tocar, pero como estaban
de moda PAVEMENT y SEBADOH
parecía que no hacía ~~fat~~ falta saber tocar.
Al ~~R~~ Rollo se le llamaba Lo-Fi, de Low
Fidelity .

Empezamos con una lata de jabón DIXAN
y dos rotuladores a modo de BATERÍA y
Jaime con una guitarra eléctrica de CADETE.

Todo era pura improvisación, hacíamos
versiones en plan Indie de METALLICA, el
enter SANDMAN y SEEK and DESTROY con voz
infantil y en chorra. También canciones
improvisadas en INGLÉS inventado.

Em esos años los grupos indies ESPAÑOLES
(antaban en inglés de BROMA.

Mi madre irrumpía de vez en cuando
para llamarnos a comer a grito pelado

Juanjosé ~~haz~~ hacer
el favor

Quedó inmorta-
lizada en alguna de
nuestras grabaciones caseras

Entonces ████████ había muchos grupos
████, todos muy malos, pero con intención;
con el tiempo unos aprendieron, otros no.
EL INQUILINO COMUNISTA, PENELOPE TRIP,
AUSTRALIAN BLONDE, PARKINSON D.C. HOMESICK,
PEANUT PIE, LOS PLANETAS...

HIT

EMOCIONAL

GRUPO: El inquilino comunista
DISCO: El inquilino comunista (1993)
CANCIÓN: Brains colapse

Recuerdo ver al INQUILINO de teloneros de SONIC YOUTH en la gira del DIRTY

Se colocaban en el ESCENARIO como SONIC YOUTH

EL BAJISTA en MEDIO

RUIDO con BAQUETA

vaya mierda, son un PLAGIO de SONIC YOUTH y PAVEMENT

hacen ruido de PACOTILLA

Ahora me encantan, representan aquellos maravillosos 90

El mejor crítico musical es el tiempo

EL CONCIERTO DEL AÑO

Ya te lo diré

Ni Juan CERVERA, ni NANDO CRUZ, ni uno mismo

ROCKDELUX

El tiempo iguala las cosas y las centra en un contexto imposible de ver en el momento en el que está sucediendo

LOS ÁRBOLES no dejan ver el bosque

Ahora, con la distancia, cuesta creer que por aquellos años apareciera un grupo con esos referentes, en la CUTRE-ESPAÑA de principios de los 90's

Un grupo de chavales que estaban al día de lo que pasaba fuera.

N.Y.

Capaces de hacer HITS INDIES

Capaces de "SONAR"

Ahora los escucho y recuerdo el concierto como un momento significativo de la música ESPAÑOLA.

Un momento especial y emocionante.

Cuando, en realidad, estando allí los detesté profundamente.

¡Ah! nos llamábamos

Jaime y Juanjo FOREVER

todas las canciones sólo las hacíamos una vez, como experimento, luego las escuchábamos y seleccionábamos las que nos gustaban y hacíamos una maqueta.

Una vez quedamos semifinalistas en el concurso de maquetas de RDL y estábamos asustados por si teníamos que volver a tocarlas en directo. Por suerte, no llegamos a la final.

Con Jaime y Anna nos metimos mucho en la movida del Indie NACIONAL, íbamos a los conciertos y conocíamos a todo el mundo. Anna escribía sobre música, Jaime tocaba y yo dibujaba. Los tres éramos del rollo, estábamos metidos en la MOVIDA.

Fue realmente la movida de BARCELONA

Todavía hoy la mayoría de grupos desciende de esos días, fue como la MOVIDA de MADRID en los 80. A nosotros nos tocó en nuestra juventud, vimos cómo nacía una nueva escena musical y todos los festivales que hoy son referencia, el BAM, PRIMAVERA SOUND, BENICÀSSIM, el SÓNAR (un poco más tarde). Fuimos testigos de todo. ANTES, BARCELONA era bastante gris, antes de las Olimpiadas no había nada que nos interesara. En cierta manera todos participamos en que sucediera todo esto. Creo que todos pusimos nuestro granito de arena.

algunas cosas
se las llevaron las
olas, otras se
quedaron

Un año recuerdo que Anna nos pidió a Jaime y a mí ayudarla a escuchar cassettes para hacer la preselección para el concurso de maquetas de la REVISTA ROCK DE LUX, donde ~~Anna~~ Anna había empezado a colaborar. Era en pleno auge de la música Indie en ESPAÑA y el concurso de RDL era una referencia. De ese concurso salieron grupos como LOS PLANETAS, por ejemplo.

La mayoría de grupos eran MALÍSIMOS, pero entonces creíamos que estábamos haciendo una labor crucial. Escuchar tantas maquetas era una tarea MUY ARDUA

ANNA tenía maqueta en su habitación

Los veranos escuchaba PINK FLOYD, (Los
Primeros,
STONE ROSES   CLARO)

LED ZEPPELIN , the DOORS   a los 18
                                               AÑOS

El verano es mi época del año de la NOSTALGIA y
el amor
Los veranos en la montaña, los veranos en
el mar.   LA POCA ROPA , tu novia.

otros veranos ~~les~~ añadí PIXIES , JANE'S ADDICTION
ya era más mayor,   19 o 20 años

HiT

Ahora intento
RECREAR el AMOR
escuchando a
ARCADE FIRE

HiT

El Noise Pop siempre ha sido para mí una fuga de la realidad

Un sifón que va al revés y te chupa.

Con Jaime, cuando en las canciones entraba el ruido y la distorsión, lo llamábamos el SIFÓN.

Con mis amigos hicimos un fanzine, ("un "VIVIENDO del cuento"). Se llamaba CÍRCULO PRIMIGENIO. Empezó siendo de cómics inocentes, minimalistas y de estética INDIE y terminé siendo algo más musical donde haríamos historietas riéndonos de la escena musical independiente ESPAÑOLA. Supongo que por pura envidia o para llamar la atención. Allí empecé a hacer HISTORIETAS sobre música. Este libro viene de allí.

Algún miembro de un GRUPO LOCAL

El fanzine acabó haciéndonos famosos a nivel local, muy local diría yo, pero como éramos tan pocos parecía que éramos más de los que realmente éramos.

Era un pequeño fanzine hecho con fotocopias, eso era todo.

Acabamos todos medio peleados, como los grupos de Rock. Ahora creo que hasta nos caemos mal.

Amma nos ayudaba a repartirlo.

GENTE GUAY

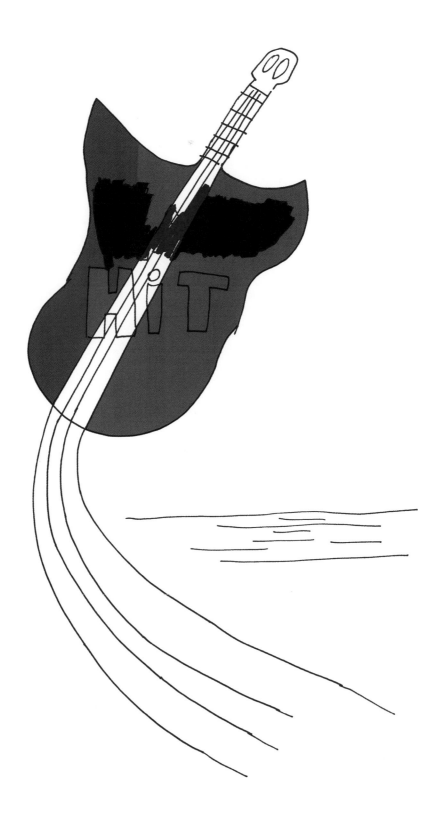

Con Anna y su mejor amiga, MAR, hice un viaje por toda EUROPA en tren con mochila (INTERRAIL)

Recuerdo estar con mi abuela en el pueblo y llamar por teléfono a Anna desde una cabina para hablar un rato.

De repente me dijo que dentro de dos días se iba de interrail con MAR. Me dijo si quería ir con ellas. Le dije que no tenía casi dinero, su respuesta fue que daba igual porque sus abuelos le habían dado "pasta" y que no pasaba nada.

Soy un cobarde redomado, pero ese día le dije que SÍ, casi sin pensar. **M**e fui a casa, me preparé la mochila y me fui a coger el autobús para BARCELONA, entre alaridos de mi ABUELA.

¿Pero adónde vas?

Una vez en Barcelona, partimos dos días más tarde

SANTS ESTACIÓ

Lo recordaré toda la vida

A mí me gustaba la amiga, como ya dije antes, pero ya estaba muy cansado de ~~ella~~ ella porque no me hacía caso, en cambio Anna sí que me lo hacía.

Por la noche, cuando Man se dormía, Ana y yo no podíamos remediar darnos besos sin hacer ruido. Ahí realmente empezó nuestra "relación".

Algún lugar de EUROPA

Fue prácticamente la primera vez que iba tan lejos. No había viajado apenas.

Sería injusto decir que fue el mejor viaje que he hecho nunca, pero fue el primero, fue un viaje iniciático en todos los aspectos. Al volver ya era otro. Mi madre, contra pronóstico, me encontró más gordo y más mayor al regresar.

Al nene le ha probado muy bien el viaje

¿ves?

Al llegar, mis padres me esperaban el el pueblo. Me da mucha pena recordarlo. No lo puedo dibujar. En mi memoria me he acordado del sonido de la puerta.

Y así me recorrí Europa con Anna y Mar. Me cuidaron muy bien, yo era muy tonto, un malcriado y un mimado.

toma, come

ostras, GRACIAS

Pasamos por PARÍS

Berlín

(El año anterior cayó el muro?

Había trozos de MURO por todas partes, vendían
fragmentos como SOUVENIR

Restos →
de grafiti

todavía era
muy palpable
la diferencia
entre la
parte SOVIÉTICA
y la OCCIDENTAL

Me
fascinó, y
todavía lo hace,
la estética
COMUNISTA

HABÍA calles enteras
con el mismo coche,
el Mítico
TRABANT

IW 507

Eran como
el juguete.
Diseñados pa
un niño

Pasamos por FRANKFURT. Dormíamos en un campamento montado junto a un río y desayunábamos pan NEGRO.

Las tiendas eran muy grandes y nos despertaban a las 8 de la mañana a grito pelado, con un "GOOD MORNING, the SUN IS SHINING".

No tengo ni idea de cómo Amma y Man se enteraban de estos sitios para dormir. Me lo daban todo hecho.

Fuimos a Copenhague a ver a nuestro amigo DARIOS, era DANÉS y súper FAN de la música. COMPAÑERO de la escuela Massana, me pasaba discos buenos.

Darios en su día en BARCELONA, me
dijó EL BIZARRO de +HE WEDDING
PRESENT.
Tocaban realmente rápido, más que los
HEAVIES, pro con la guitarra sin distorsión.
Uno de los grupos que más raro me han
sonado al principio y que luego más me
han gustado.

Lo dudo
mucho

Es el
grupo que toca
más rápido

Darios es el
tío más despistado
que he conocido en
mi vida.

Parecía caído de un GUINDO.
UN tiPO RARO , DIVERTIDO , FOTÓGRAFO Y
coleccionista de Discos.

A los tres, la SIRENITA de Copenhague nos pareció mas pequeña de lo esperado.

Dinamarca nos pareció el colmo de la civilización. incluso tenían una isla en medio de COPENHAGUE, CHRISTIANIA, donde los HIPPIES y anti sistema podían vivir libremente. No entraba la policía.

Y se podían fumar PORROS, lo único prohibido era hacer fotos.

Para mí algo así, con 20 años, sólo era algo totalmente irreal. Hasta los estudiantes tenían sueldo pa ir a clase. EL GOBIERNO ayudaba a la gente i eso sí, ¡pagaban muchos impuestos. El agua del GRIFO era gratis, pa ejemplo.

Nosotros, como pobres ESPAÑOLES, tuvimos que irnos rápido de ese paraíso porque era demasiado caro para NOSOTROS.

yo encima ya no llevaba mucha pasta.

← Nada más empezar el viaje En un cámping PUNK de no sí dónde, me picaron miles de pulgas en las piernas. Quise morir, Ahí descubrí que era alérgico. Nada me calmaba. Fui a una farmacia y no se lo creían, era como si me hubieran apagado 100 colillas en las piernas.

Fuimos a BREMEN (Alemania), donde el cuento de los músicos.

Era ~~incl~~ increíble ver cómo todavía había fachadas y edificios quemados y carbonizados ~~po~~ los BOMBARDEOS de la II guerra mundial.

No debían de tener dinero para arreglarlo.

(Creo que era del lado RUSO)

Recuerdo aquellas noches de cámping y de ALBERGUES, recuerdo beber leche directamente de la botella, eran botellas de cristal,

y comer mucha fruta refrescante.

Muy bonito todo. La luz del sol entre las hojas de los árboles en los parques cuando nos tumbábamos a descansar.

No sé por qué recuerdo todo eso con tanta vividez.

Supongo que en ese viaje hubo tantas primeras veces que el alma se estremece y lo fija en la memoria, de forma algo caprichosa, nunca por importancia, más bien por emoción. En el momento que tocaba la botella de cristal y bebía debía de ser plenamente feliz. CON ANNA, con Mar; las debía de querer mucho en ese momento. Eran mi pequeña familia, sintiéndome tan lejos de todo. Ellas me cuidaban, yo las hacía reír → éste puede que sea el resumen de todas mis relaciones.

El cristal de la botella brillaba, el sol entre las hojas también.

Felicidad / Brillo

173

Durante el viaje, recuerdo ir a las tiendas VIRGIN de cada ciudad y allí escuchar discos que me recomendaba ANNA.

Aquí, en Barcelona, no se podían escuchar discos en las tiendas y todavía no había internet.

Ese año había salido el DIRTY de Sonic Youth, recuerdo escucharlo. ¿cómo no me va a gustar ese disco? Lo descubrí en ese viaje.

En ese viaje descubrí el amor y la música de verdad. Ya nada fue igual. Bueno, nunca lo es.

todo cambia
siempre.
todo fluye como
la música.

DARIOS

Ya he hablado antes de DARIOS, mi amigo DANÉS de cuando estudiaba pintura en la escuela MASSANA. DARIOS estudiaba fotografía y ~~Pro~~ procedimientos contemporáneos de la imagen (una cosa rara), y era muy fan de SONIC YOUTH, como ANNA y yo. **Y** no sé cómo, se le ocurrió la idea de irlos a ver a PARÍS, a la mítica sala de conciertos Le ZÉNITH.

Todo parecía buena idea, a no ser que no tuvieras en cuenta que DARIOS era lo más parecido a un CHINO siendo DANÉS.

No entendía casi nada y no sé si era una cuestión de no entender el castellano, de tener problemas de comprensión o que simplemente pasaba de entenderte.
⟶

→ Más o menos como los CHINOS de aquí, que nunca sabes si no te entienden, si son tontos o si se lo hacen. Con DARIOS ese misterio nunca se desveló del todo, y unos días pensaba una cosa y otros, otra.

← Siempre se RASCABA la CABEZA en PLAN DESPISTE

En los 90 estaba de moda la perilla →

o se mesaba la perilla en el mismo PLAN

Eso sí, es un tío de puta madre, bueno y con mucha cultura musical. Los grupos que le gustaban eran todos buenos. **N**os culturizaba, porque por encima de todo, no había que olvidar que provenía de la CIVILIZACIÓN. De un país avanzado. →

Lo solíamos pillar riéndose de los desastres de los ESPAÑOLES sin tener en cuenta el puto desastre que era él.

Por cierto, Darios me llamaba toni, porque según él, parecía Italiano

Era un chiste para él mismo

Yo qué sé

Como iba a contar, nos invitó a Anna y a mí a ir a ver a Sonic Youth a París con el coche que le había prestado su madre

Lo recuerdo ← algo así

Darios venía ~~ababaal~~ normalmente de COPENHAGUE a BARCELONA en coche, por lo que lo que lo creíamos experimentado y no habría ningún problema a pesar de que sólo iba a conducir él, ya que ni Anna

→

→ ni yo teníamos CARNET de CONDUCIR.

No nos hizo pensar mal que una vez se quedara tirado en pleno invierno a medio camino con un cristal de una ventanilla roto y nos contara que se despertó a media noche en una parada que hizo para descansar con la cabeza llena de nieve, vamos, que se medio congeló, pero él lo explicaba así.

Mi madre desde luego no lo vio claro, pero aun así me dejó ir (No sé por qué).

El viaje empezó ya algo complicado porque Darios no quiso ir por autopista para ahorrarnos pasta. ———→

Así que el viaje se planteaba algo más largo de lo previsto, y eso que ya ya la AUTOPISTA era una LONGANIZA

Se nos hizo de noche y todavía faltaba mucho para llegar y Darío no quería parar, y eso que no paraba de dar cabezadas mientras conducía.

Varias veces pensé que íbamos a morir, más teniendo en cuenta que una vez nos salimos de la carretera al dormirse Darío. Al pillar la gravilla del arcén, se despertó por el TRAQUETEO.

Yo iba dormido. ZZZ

No volví a dormir en todo el viaje

En otra ocasión también casi nos salimos de la carretera porque se puso a comer una manzana y me pidió que le sujetara el volante.

¿eh?

aguanta un momento

EL PUTO VIAJE hasta llegar fue un infierno

Después de tanto sobresalto finalmente paramos a dormir un poco, pero fue realmente imposible: el coche era muy incómodo y mis nervios eran como las cuerdas de la guitarra de KERRY KING (guitarrista de SLAYER).

POSTURA en la que DARIOS 'INTENTÓ DORMIR en el coche

Está claro que no pudo

parece un BUITRE

Yo iba delante, Anna detrás, recuerdo darle la manita de vez en cuando, de medio miedo y de medio amor

En el fondo el viaje era GUAY

Para empeorar un poco el viaje eterno cruzando infinidad de puertos de MONTAÑA, a Darío, por conducir e intentar dormir en semejante postura, le cogió toRtícolis. Cosa que, mucho, no tranquilizaba.

Después de una eternidad, llegamos a París. En ese momento sonó "LIGHT MY FIRE" de the DOORS y decidimos ir a ver la tumba de JIM MORRISON al cementerio de Père-Lachaise.

GRAN IDEA

come on baby, light my fire. come on baby, light my fire

try to set the night on fire

Al llegar al cementerio sólo tuvimos que seguir las flechas que los fans habían ido haciendo para indicar el camino.

JIM

JIM

JIM

JIM

La tumba era bastante cutre y llena de pintadas todavía mas cutres. Había un tío completamente borracho llorando por la muerte de Jim y nos dio la risa. Ninguno de los tres éramos realmente fans.

Este episodio no recuerdo muy bien cómo fue. El tema es que Anna se quedó durmiendo en el coche y DARIOS y yo fuimos a dar un paseo por París. Habíamos dejado el coche aparcado con Anna dentro durmiendo y cogimos el metro en la primera parada que vimos y salimos por otra al rato.

BLA, BLA, BLA, BLA,

METRO

METRO

METRO

?

?

Nos dimos una vuelta y lo más cachondo es que a la hora de volver no nos acordábamos de la parada de metro en la que habíamos dejado el coche con Anna dentro.

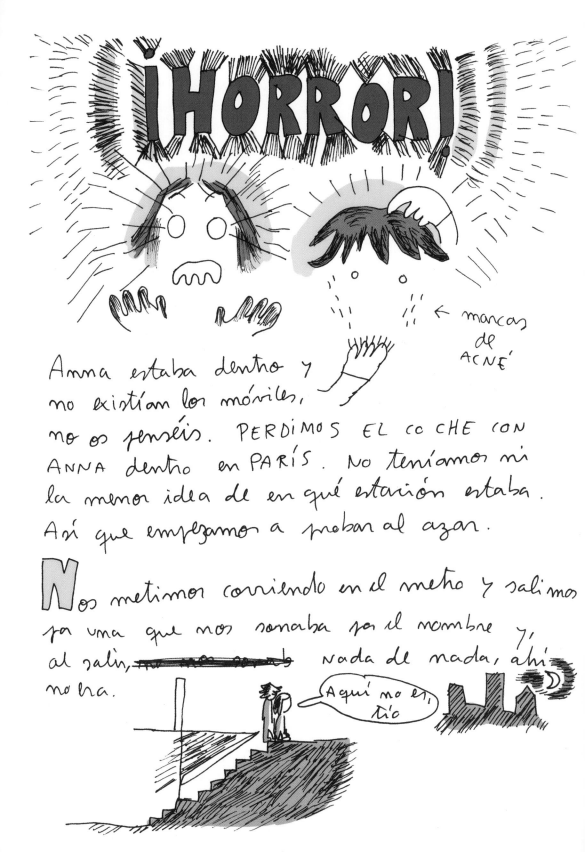

¡HORROR!

← marcas de ACNÉ

Anna estaba dentro y no existían los móviles, no os penséis. PERDIMOS EL COCHE CON ANNA dentro en PARÍS. No teníamos ni la menor idea de en qué estación estaba. Así que empezamos a probar al azar.

Nos metimos corriendo en el metro y salimos por una que nos sonaba por el nombre y, al salir, ~~no~~ nada de nada, ahí no hra.

Aquí no es, tío

Hasta que finalmente salimos por la correcta de puro ~~milagro~~ milagro.
Y allí estaba Anna, durmiendo. Creo recordar que no le dijimos nada y nos guardamos para nosotros el susto.
La pobre estaba tan cansada del viaje que durmió horas como un lirón

ZZZZZ

tío....
la hemos encontrado   SNIF

DOS PEPINILLOS

Hola chicos,
¿qué os pasa?

Na, Na Na ... Nada

¿Estás llorando?

Finalmente llegó el momento de salir para el concierto. **N**o sabíamos dónde estaba la sala y empezamos a da vueltas con el coche.

Creíamos que ya nada malo podía pasar, yo hice alguna foto, nunca hago, pero ese día se me ocurrió hacerle a unas PUTAS que por ~~que~~ casualidad nos cruzamos al pasar por un barrio un poco feo.

Me hicieron el gesto de "ESTÁS MUERTO" y ya no hice ninguna foto más.

No encontrábamos el sitio y ya empezaba a ser un poco desesperante, y de repente sin previo aviso nos dieron un golpe con el coche por detrás.

CRASH

HOntiar

El cuello de DARIOS se jodió más.

Todos sabemos que si te dan por el culo la culpa siempre es del otro.

la culpa es de éste →

Del coche que nos dio se bajó una pareja
francesa súper sofisticada y guapa, ella
estaba muy buena y él era de lo más
elegante.

Enseguida sacaron la billetera y
le dieron pasta a DARIOS y nos acompañaron
a un taller para arreglar el estropicio,
cosa que me pareció surrealista viniendo
de ESPAÑA.

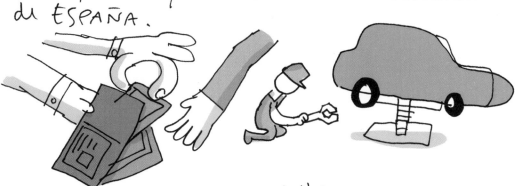

Darios se hizo el listillO, a pesar de
ser Danés, y tuvo una actitud muy nuestra
y aprovechó para arreglar otras cosas del
coche que ya estaban rotas a costa de
los FRANCESES. Y para colmo, tuvimos
la suerte de que ellos también iban
al concierto →

Esto estaba
también dañado

→ Y nos acompañaron

Tenemos un poco de prisa, vamos al concierto de SONIC YOUTH

¡Oh! nosotros también, seguidnos con el coche, por favor.

El concierto no me gustó mucho porque me empezó a doler una muela nada más empezar, yo creo que de los mismos nervios que pasamos. Darios bailaba con el cuello torcido por la torticolis. Anna no recuerdo que hacía.

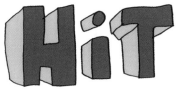

HiT

EMOCIONAL

CANCIÓN: TEENAGE RIOT
GRUPO: SONIC YOUTH
DISCO: DAY DREAM NATION
(1988)

TENÍA 20 AÑOS

En los 90, por fin, la voz fue un instrumento más

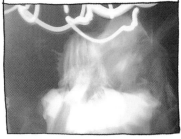

En los primeros 90 parecía que el "LOOK" ya no era importante

la gente normal podía tocar ROCK sin tener que llevar disfraz

En los primeros 90 parecía que las chicas iban a tomar el PODER

Podían ir con pelos en las PIERNAS y ponernos CALIENTES

Se valoraba la experimentación

Las producciones ya no eran cristalinas como el METACRILATO

NOSTALGIA del INDIE

En estos tiempos de REVIVALISMO

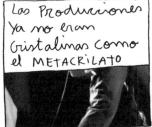

LOS PUTOS 80

con sus putos cantantes

ME CAGO en ROBERT SMITH y en todo el daño que ha hecho

me CAGO en mi puta SOMBRA por haber creído que nada sería como antes

tenía 20 años

SONIC YOUTH

Puede que sean el mejor grupo

Conocí una vez a KIM GORDON, me la presentó Anna en una entrevista que le hizo. No le dije NADA porque no sé inglés.

Amna

YO

HIT
EMOCIONAL

+ THURSTON MOORE Y KIM GORDON se han separado

Me ha engañado. me ha engañado

La vi en una foto con el tío ese

Un cutre 10 años menor que ella

Me juró que no seguía con él

Pero he visto que le ha puesto 3 "me gusta" en el FaceBook

La muy puta cuelga canciones en su muro

Y cada día está en línea en el whatsapp hasta las TANTAS

¿Con quién habla?

¿Con quién habla?

COÑO, Pues CON ÉL

Con ÉL

BUAAA BUAAA

Me voy a MORIR, NO Lo Puedo SOPORTAR

Lo mejor será que la BLOQUEE en el Facebook

No QUIERO saber NADA

La muy PUTA está en verde

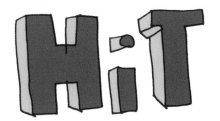

HiT

EMOCIONAL

THURSTON MOORE
Y
KIM GORDON
se han separado

El muy idiota ahora me manda canciones románticas

Ya está bien

No entiende qué quiere conseguir

Ug...

En realidad fue él el que quiso dejarlo

también es verdad que yo estaba muy pesadita

Yo creo que SOSPECHABA

No me he portado BIEN

SNIFF

No sé si debería contestarle a los MAILS

me sigue pareciendo mono

Qué cosas tiene el tío

Pero yo ya estoy con otro

He de ser consecuente

Hostia, otra canción en el SPOTIFY

Esta vez se ha pasado, es de ANDRÉS CALAMARO

EL INDIE

ERA CHAPUCERO

ERA FRESCO

ESPONTÁNEO

NOSTÁLGICO

DE LA INFANCIA

EXPERIMENTAL

Recuerdo cuando salió el segundo disco de PAVEMENT y ver la portada abominable y pensar que era la cosa más genial del mundo, tan fea, esas manos llenas de anillos. Me marcó en general, creo que me autorizó a hacer que mis ~~trabajo~~ dibujos fueran más chapuceros.

En los discos de PAVEMENT todo era posible
y emocionante. Daba igual la técnica,
ésta sigue siendo una de mis máximas.

Lo importante son las canciones
o lo que contar.

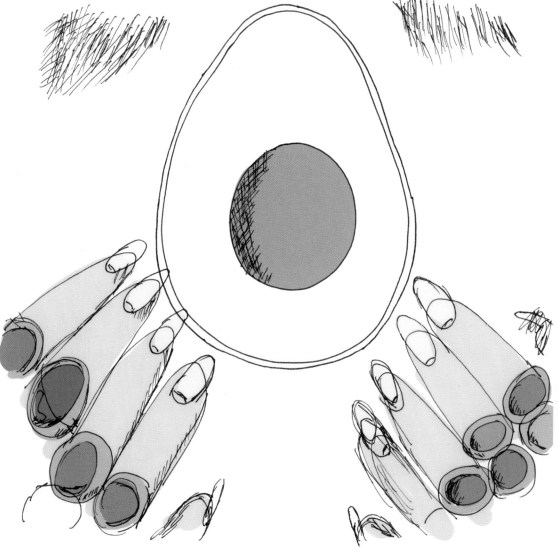

HiT

EMOCIONAL **1994**

La ciudad de Buenos Aires parece atrapada en el tiempo

Fuimos a comprar a una tienda de ropa y vi una pila de revistas GRATUITAS, de esas que reparten en BARCELONA

GRUPO: PAVEMENT
DISCO: CROOKED RAIN
CROOKED RAIN
Canción: CUT YOUR HAIR

LA "VICE" Edición ARGENTINA

Qué RARO. PORTADA DE CLOË SEVIGNY

Miré la sección de discos y vi, como disco destacado "CROOKED RAIN, CROOKED RAIN"

mejor álbum: pavement

Al ladito, muchos otros impres-cindibles. todo CLÁSICOS

STEREOLAB
Mars Audiac Quintet
Elektra

Hace dos años, estos flacos estaban sacando locas, zumbantes hipno-canciones con dibujos Situacionistas viejos en las solapas; el año pasado hicieron una ruptura con el rey de-todos-los-tiempos de la oscuridad y toda la mierda heavy, Stephen Stapleton de Nurse With Wound; y ahora están aparentemente componiendo música para el tipo de local de "ropa vintage" que vende sillas de plástico con forma de mano. Deci lo que

SONIC YOUTH
Experimental Jet Set, Trash and No Star
DGC

Este está OK. Definitivamente no es el mejor disco de SY, pero últimamente me gusta más Free Kitten de todas maneras. Dato curioso: leí que si subís mucho el volumen en este disco, podés escuchar

SHELLAC
At Action Park
Touch & Go

Shellac es Steve Albini con Bob Weston (Volcano Suns) en el bajo y Todd Trainer (Brick Layer Cake, Rifle Sport) en la batería. Su colaboración es más orgánica, menos claustrofóbica, y más amigable a la melodía que la última banda de Albini, Rapeman. Cómo su

BECK
Mellow Gold
DGC

No odiés "Loser", careta de mierda. Es la canción más pegajosa del año y sabés que te encanta. De los tres discos que este pequeño ambicioso sacó el año pasado, prefiero más toda la mierda extraña de Stereopathetic Soulmanure (estuve incluyendo "Satan Gave Me a Taco" en cada compilado que hice este año), pero Mellow Gold está bastante bien también, en especial para ser de un

Me acerqué a la revista y olía a nuevo. Recién SALIDA de la imprenta.

No entendía nada. HABÍA artículos fuera de tiempo. Hablaban de las TORRES GEMELAS como si NUNCA HUBIERAN CAÍDO

Casualmente, miré el LOMO de la REVISTA y PONÍA 1994

Y el corazón me dio UN VUELCO
¿cómo?

Y de GOLPE y sopetón me acordé de mi amigo GABI. Nos hicimos amigos inseparables ese año 1994

Bla Bla   Bla

Escuchábamos todos esos discos una y otra vez. CREO que ésa fue la época más intensa de mi vida

Felicidad TOTAL

GABI, no he logrado descifrar este misterio. Pero esta PÁGINA, te la dedico a _ti_

FORTASEC

DR. MUSIC FESTIVAL

Otra aventura que hicimos con ANNA y Mar fue ir al DR. MUSIC FESTIVAL. No lo recuerdo bien, pero fue la época en la que llegaron los grandes festivales a España; antes no había y era una novedad eso de ir a un concierto con muchos grupos y quedarse a dormir en una tienda de campaña varios días.

CAMPO de REFUGIADOS

Con Anna ya no éramos novios, pero creo que ella me tenía algo de pelusa, como es normal.

Fuimos en un autocar que ponía la misma organización.

El concierto se hizo en una valle en los Pirineos. El camino en Bus fue idílico, parecía que íbamos al paraíso, recuerdo que el paisaje era alucinante y que de camino había una parte donde había lagos de un AZUL INTENSO.

Mi ilusión era ver a SEPULTURA.

Por las noches, los días antes de su actuación, los HEAVIES gritaban desde sus tiendas.

ROOOOOOOOTS
Bloody ROOOOOTS

Parecía la voz del mismo SATÁN; luego gritaban al unísono un alarido GUTURAL a lo DEATH METAL

GROOOOOOOOOOOOOAAAH

Se te erizaba el alma. Fue lo que más me gustó del FESTIVAL (una experiencia mística) No se puede explicar con palabras

EL poder del METAL   siento su poder

Jamás pensé que la gente podía ser tan guarra. Cuando llegamos al prado donde se haría el festival había hierba verde ya todas partes.

Y se respiraba aire puro, era uno de los lugares más bonitos que he visto. Y al terminar no se podía ni respirar. Los MOCOS me salían marrones.

MOOOC

El polvo lo respirabas y se pegaba a los mocos formando un barro espeso. No quedó ni una BRIZNA de hierba, la GENTE había arrancado hasta la tierra.

y emergían del suelo pedruscos.

y porque las piedras pesan, si no, las hubieran
arrancado igual. Se había amasado con
todo, encima estaba lleno de basura y
tiras de unos vasos de plástico que no tengo ni
idea de si eran biodegradables o no. Ya sabéis
a lo que
me refiero
y que conste que no soy
un tío ecologista
fanático, sólo lo NORMAL.

Imaginaos cómo estaban los lavabos y duchas.

Teniendo en cuenta lo escrupuloso que soy con la mierda de los demás, decidí no ducharme

Aunque un día conseguí lavarme un poco en una pica. Como soy pequeño, cabía.

Pero lo peor eran los baños: casetas de plástico de esas en las que sale un líquido AZUL para disolverlo todo. Claro, allí en medio de la nada no había posibilidad de ~~desagues~~ desagües ni nada por el estilo.

→

Imaginad eso a pleno sol:
una caja de plástico, calor, miles de personas.
Entré una vez y casi me desmayo, arcadas
antes de entrar, no miento ni exagero.
Y no se podía hacer nada por los alrededores,
a pesar de estar en el monte. Estaba todo
controlado. Así que opté por no cagar en
todo el festival. Yo soy muy regular y
voy cada día a la misma hora, Así
que lo vi muy complicado. ⟶

Y no se me ocurrió otra cosa que ir a la enfermería y decir que tenía DIARREA y que me dieran FORTASEC (POPULAR anti-diarreico). Se lo creyeron, pero me advirtieron que se me podía formar un tapón y que fuera con cuidado.

Por dentro pensé, "Eso es lo que quiero, UN TAPÓN" →

No fui al baño, bastantes días después
HASTA
del festival y ya en casa. No RECOMIENDO ESTA IDEA A NADIE, LO PASÉ UN POCO MAL.

El festival tampoco lo recuerdo mucho, no me gustó demasiado, por no decir NADA.

→ conocí a PEPA poco ma...

Además, Anna me dijo, en medio de una conversación que no venía a cuento, delante de MAR, que no follaba bien y que ni siquiera recordaba cómo se lo hacía, que no notaba nada. Y todo eso lo dijo a pleno sol, creo que nada más llegar.

Anna era Así

SiLENCiO

Pausa entre canción y canción

EMOCIONAL

CANCIÓN: Some things LAST A long time
MÚSICO: DANIEL JOHNSTON
DISCO: WELCOME to MY WORLD (2006)

Milagrosamente se salvaron. DAN estaba feliz, no por salvarse, sino por haber hecho BONITAS PIRUETAS. SIN DUDA es lo que cuenta en la vida, porque al final NADIE se SALVA

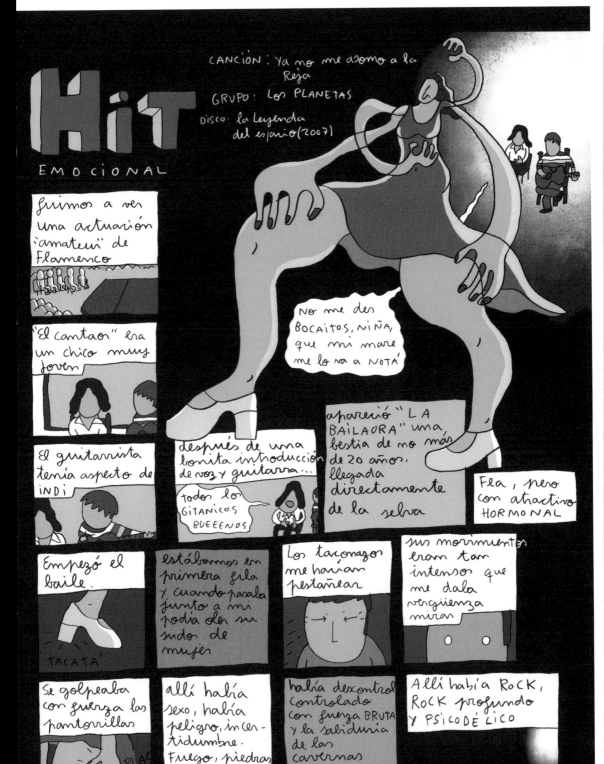

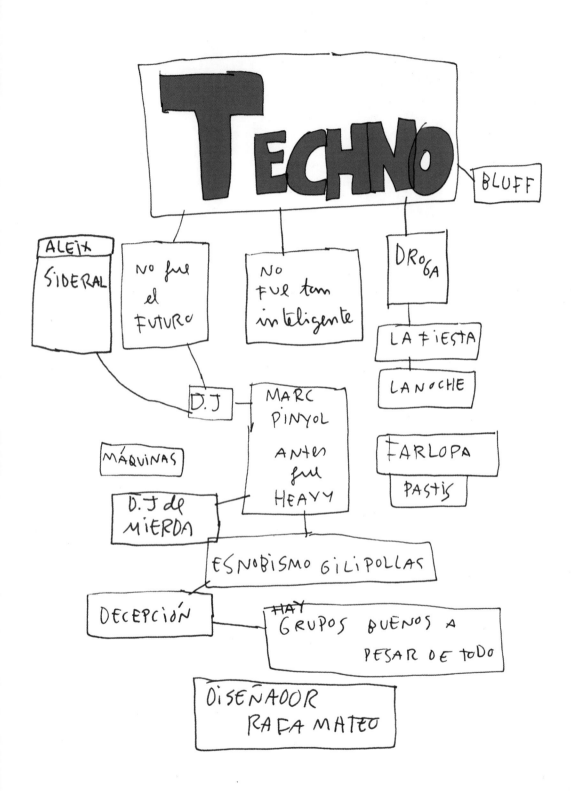

GRUPOS TECHNO que me
gustaban y ahora detesto
con toda mi alma

- ORBITAL ——→ Pura MIERDA (no tienen sentido)
  (los vi en el SÓNAR y salí FLIPADO)
- PRODIGY
- CHEMICAL BROTHERS ——→ los soporto más
                          y en soledad
                          me pueden llegar
                          a gustar

GRUPOS de techno o electrónica que me GUSTAN
AHORA

  - PLASTIKMAN
  - PAN SONIC
  - UNDER WORLD ——→ Éstos me siguen
                    gustando no sé muy
          ↗   bien por qué

tienen algo de clásico y de música pop
inglesa que los hace más dignos.

EMOCIONAL

CANCIÓN: Ghost RIDER
DISCO: SUICIDE (1977)

GRUPO: SUICIDE

ALAN VEGA y MARTIN REV
Dos tipos realmente

SOSPECHOSOS

dientes → PLAS

REVOLU
CIONARIO
EN BENEFI
CIO PROPIO

PODRIAN SER
MARICONES

SÓNAR 1999.
Concierto de
Suicide

uh!

No está claro
si fue un
FRAUDE o qué
delito cometieron

?

MARTIN no
tocaba. Alan
no cantaba.

timo: ASESINATO
o Suicidio.

Movimientos
posteriormente
popularizados por
CHIQUITO de la
Calzada. RIDÍCULOS,
INCÓMODOS.

Dice la
leyenda que
se hicieron
PUTADAS.

FUCK YOU,
Baby

NADIE sabe
qué va a
ocurrir,
INCERTIDUMBRE

Se pasean por el escenario,
orgullosos, de forma
sospechosa, tienen un
plan, NADIE SABE CUAL

lo celebran
entrechocando
sus manos.

Esos tipos
quieren jodernos.

Son Chungos,
son SOSPECHOSOS.

Eso es el ROCK,
el POP es otra cosa,
lo siento mucho,
yo lo vi y MIKA
VAINIO también.

ROCK'N'ROLL

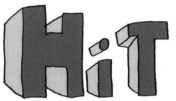

HIT

EMOCIONAL

TEMA: Bigmouth strikes again
GRUPO: the Smiths
DISCO: the queen is DEAD (1986)

Estaba en una fiesta en la que no conocía a NADIE

Le Pedí a la anfitriona si podía poner un CD. que encontré por ahí

THE SMITHS

ostras

Lo puso y me quedé sentado escuchando

Y "Bigmouth strikes again" me transportó a otro lugar

tuve tiempo para pensar

me había enterado ese mismo día

Me acordé de la primera vez que lo vi

miraba discos en la tienda "7 PULGADAS"

mientras, él canturreaba una canción de PORNO FOR PYROS

todavía NO era NADIE, pero como las semillas, contenía todo lo que un día iba a ser

Y eso se le NOTABA

Me parecen muy tristes las flores cortadas que se marchitan antes de hora.

Las que acaban traicionando su naturaleza. Las que nos arrebatan disfrutar de su ESPLENDOR

La que no logra su destino...

... por el motivo que sea

FLORES PARA ALEIX VERGÉS (SIDERAL)

223

La MÚSICA ELECTRÓNICA

Después del Indie, de repente se puso de moda la música electrónica. Recuerdo estar en casa de ANNA y enseñarme el primer disco de UNDERWORLD y decirme:

DUBNOBASS with MY-HEAD MAN 1994

← Diseño de la CUBIERTA: TOMATO

Mira, esto es lo que escucha Aleix ahora

Aleix era el que fue después SIDERAL, el D.J.. Entonces era todavía Aleix y tocaba en el grupo PEANUT PIE, pero poco después pasó a ser D.J y a poner esa música en el NITSA. A mí ese rollo me sonó rarísimo, era ~~tan~~ tRANCE, pero al poco

→

tiempo me empezó a gustar. Como decía
Jaime, tenía cuelgue ¡era psicodélico de otra
forma, te absorbía y te llevaba, como la
música de las TRIBUS era del futuro ¡o
eso nos parecía entonces.

Otro día apareció GABI en casa con un
cassette grabado con el primer disco de
los CHEMICAL BROTHERS. Me dijo:

Es como INDIE, pero para bailar

Se lo habían pasado
sus colegas de
SANT CUGAT

→ toni Ventura y esos que estaban metidos en ese rollo. Entonces la gente tomaba pastillas e iba a bailar al NITSA. Qué fuerte todo.

El indie pasó a segundo plano de un plumazo. RECUERDO in el segundo año que se hizo el SÓNAR, todo era distinto: futurista y revolucionario.

Es curioso que cuando más parece que va a haber una revolución, menos la hay, y en el fondo algo cambia, pero no tanto como prometía. **L**a electrónica y el TECHNO generaron tanta expectación de cambio que al final fueron un BLUFF, no consiguieron cumplir lo esperado y terminaron donde empezaron, un género más, más o menos "underground".

El mundo seguiría igual. Como con todos los géneros revolucionarios de la HISTORIA.

 ← PUÑO BLANDO de la REVOLUCIÓN

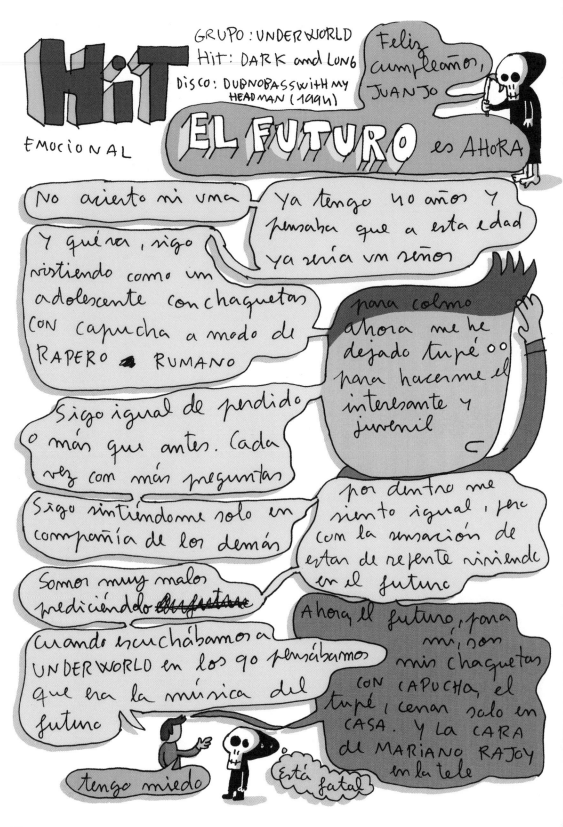

EMOCIONAL

TEMA: O SUPERMAN
ARTISTA: LAURIE ANDERSON
DISCO: BIG SCIENCE (1981)

Moscú es el futuro de los 80.

Fuimos a Moscú de viaje. Allí no vivieron los 80's y para ellos ahora esa estética es NOVEDAD. La t.V no para de pasar vídeos de MODERN TALKING y RICK ASTLEY

En los 80, aquí, se imaginaba el futuro dominado por la industria petroquímica y el MERCADO. Ahora en Moscú es así.

Un futuro soñado por LAURIE ANDERSON, sintético, étnico y sofisticado. Alienado y Frío.

LAURIE ANDERSON CANTA
"Hola, mamá"

LA MADRE PATRIA

Mamá, cógeme con tus grandes brazos

Con tus brazos AUTOMÁTICOS.

tus brazos petroquímicos,

tus brazos MILITARES,

Con tus brazos electrónicos.

O SUPERMAN

Porque cuando el amor se acaba, siempre queda la justicia y cuando la justicia se acaba, siempre queda la fuerza y cuando se acaba la fuerza, siempre queda Mamá.

LA ESCENA de clubs y la música electrónica con sus D.J'S

Para mí básicamente consistió en hacer FLYERS para Bares y discotecas de amigos y conocidos. Nunca fui un asiduo de NINGÚN CLUB NI me gustó nunca demasiado la fiesta y salir de un sitio de día, me deprime un poco. TAMPOCO ME DROGABA ni bebía alcrohol, así que poco podía relacionarme con los demás llegado a determinadas horas de la noche. Lo mío era algo más bien profesional. METER mis dibujos donde pudiera (esto lo explico mejor en "VIVIENDO del cuento" otro libro mío y es por no repetirme).

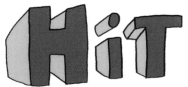

TEMA: ASK YOURSELF
ARTISTA: PLASTIKMAN
DISCO: CLOSER (2003)

EMOCIONAL

Poco antes de dormirme

A veces tengo miedo de ver que todo lo que deseo se cumple. Pasa cierto tiempo y se hace realidad. Entonces tengo la sensación de que todo es un extraño sueño.

Me han pasado cosas malas que he deseado

Pero buenas también

Me he sentido culpable y he pagado

me he sentido un héroe y he TRIUNFADO

tengo poder sobre mi destino

pero no controlo mis deseos

tus deseos son profundos e irracionales

eres ambicioso

te enfrentas a tus límites

Todos tus deseos se cumplirán

los buenos y los malos

Pero... ¿quién eres?

¿cómo sabes todo eso?

...

Yo soy tú

tienes ese poder

ASK yourself

entonces me dormí

231

HIT EMOCIONAL

Canción: STRESS
GRUPO : JUSTICE
Disco : JUSTICE (2007)

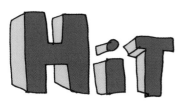

EMOCIONAL

CANCIÓN: KAPUTT
GRUPO: DESTROYER
DISCO: KAPUTT (2011)

233

ANTES

Mis grupos de antes preferidos son LED ZEPPELIN
y PINK FLOYD, más los primeros que los
segundos. Podría decir que toda la música
que me gusta viene directa o indirectamente
de ellos.

Los Primeros PINK FLOYD, por lo experimental
y los desarrollos, y LED ZEPPELIN por el ROCK.

Nunca he sido muy de la música del pasado.
Me han gustado siempre más los grupos nuevos
aunque tuvieran referencias claras en los
del pasado. Los grupos del presente quieran
o no hablan más de nuestro tiempo, aunque
utilicen recursos del pasado para hacerlo,
y dentro de esto hay grupos BUENOS y malos
y los que sólo copian.

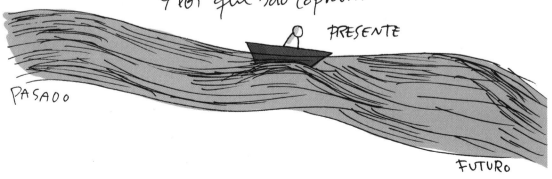

PRESENTE

PASADO

FUTURO

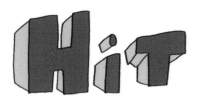

HiT

EMOCIONAL

CANCIÓN: Set the controls of the heart of the sun
GRUPO: Ø (MIKA VAINIO)
DISCO: OLEVA 2007

Qué fácil sería vivir siendo un ROBOT

Prefiero la original de PINK FLOYD

Sin emociones, todo sería más sencillo

¿Quién controla el corazón del Sol?

¿El niño que llevamos dentro?

Lloré por mi madre

He llorado por mi padre

Me he sentido como un niño abandonado

Solo, Perdido

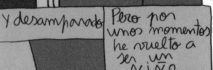

Y desamparado

Pero por unos momentos he vuelto a ser un NIÑO

Y eso no lo cambio por NADA

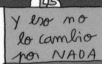

es mío

Poder volver ahí, a ese lugar

Poder volver a ser éste, y saber que sigue estando por ahí dentro

DESPUÉS

Después de la moda de la música electrónica entre la parroquia INDIE ████████ ████ ≡LLEGÓ el CAOS≡ → Al menos

para mí. Con internet y la era digital todo se desdibujó en mi cabeza, ya no tuve un fluir de la historia de la música con un movimiento tras otro, con sus transiciones...

Ya no tenía una BIOGRAFÍA musical para mí mismo. Todo se solapó. Parecía que venía el post PUNK otra vez, con grupos nuevos como LCD SOUNDSYSTEM o CHK CHK CHK (!!!).

 Parecía que volvía el ROCK o el neo ROCK, no sé cómo llamarlo. Tenían éxito grupos como FRANZ FERDINAND o como ARCTIC MONKEYS. Pero para mí ya era todo un lío. GRUPOS que en realidad ya no tenían que ver nada ~~unto~~ unos con otros.

Creo que el caos en mi cabeza lo empezaron los STROKES y de ahí ya fue todo cuesta abajo.

THE STROKES

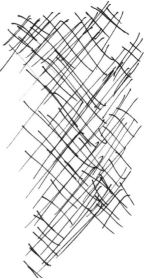

HiT
EMOCIONAL

CANCIÓN: MODERN AGE
GRUPO: the STROKES
DISCO: is THIS iT (2002)

Esencia de Nexx YORK

Nunca he estado en Nueva YORK

Pero ocupa un lugar en mi cabeza

tíos vestidos de cuero NEGRO y gafas oscuras a lo LOU REED, YONKiS

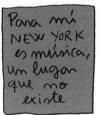

Las serigrafías de Warhol

Las disonancias y las PINTAS de KiM GORDON

Lee Ranaldo es muy NEW YORK

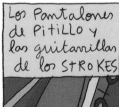

Los Pantalones de PiTiLLO y las guitarrillas de los STROKES

Para mí NEW YORK es música, un lugar que no existe

No sé si iré nunca

A lo mejor está bien dejarlo así en mi cabeza

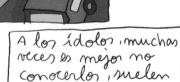

A los ídolos, muchas veces es mejor no conocerlos, suelen decepcionar.

HiT

GRUPO: LCD SOUNDSYSTEM
CANCIÓN: YOU WANTED
A HIT

Esa pinta de James MURPHY, sin peinar y con cara de SOBA

¿Alguien se lo puede imaginar bailar?

Pero no por estar de fiesta, sino por jugar toda la noche con la PLAY

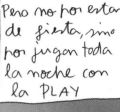

Esa cara de no haber dormido...

¿Alguien así puede hacer UN Hit?

¿Sin demasiada personalidad, pero HiT?

¿Cantando como aquel otro?

¿Recitando sus penurias?

¿Copiándose algo?

Un tipo así ¿te puede hacer sentir como un MACARRITA de 20 años?

Supongo que sí.

UN temazo está por encima de las CIRCUNSTANCIAS

DISCO: THIS IS HAPPENING (2010)

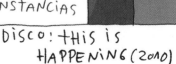

HIT

EMOCIONAL

GRUPO: Interpol
Canción: Lights
DISCO: INTERPOL (2010)

Escuchando una canción falsamente emotiva de Interpol, me pillé a mí mismo dibujando esto

Un ejercicio de exhibicionismo emocional

como la canción

Me pregunto por qué hago estas cosas

¿Por qué decido publicarlo?

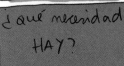
¿qué necesidad HAY?

Es falta de cariño

¿Los chicos de Interpol necesitan cariño?

¿yo lo necesito?

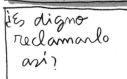
¿Es digno reclamarlo así?

¿Hay alguna forma de no caer en el patetismo?

¿ponerse un traje para dignificar la estampa?

POBRECITOS

Ya no se vive por décadas, ~~o~~ casi ni por años, ~~si~~ es todo de un día para el otro. NO CREO QUE SEA NECESARIAMENTE PEOR. Internet y la tecnología nos han ~~permitido~~ ofrecido la oportunidad de poder escucharlo todo y ahora. No es necesario descubrir algo e ir tirando de veta de grupos parecidos que sabes que probablemente te van a gustar. Ahora puedes probar sin miedo, incluso escuchar música que no te gusta sólo por curiosidad.

Ahora simplemente escucho música. No me guío por ella. Es raro y eso me ha hecho sentir algo perdido estos últimos años. Se me juntó todo, todo se convirtió en efímero y superficial.

ALGÚN LUGAR antes de MORIR

No quita que haya muchos grupos que me gusten, incluso que me apasionen. La música diría que puede que haya mejorado. Pero los movimientos para mí han ~~terminado~~ desaparecido, y con ellos parte de la pasión de seguir y descubrir un filón

HIT EMOCIONAL

GRUPO: YUCK
CANCIÓN: GET AWAY
DISCO: YUCK (2011)

todo vuelve

Vaya idea de mierda

Nada VUELVE

GRUPOS que recrean tiempos pasados

Nunca serán como los de antes

Como mucho son como oler un perfume que te recuerda al pasado

¿y por qué no gustará tanto esa sensación?

Como en BARRIO LEJANO

VOLVER a estar con los tuyos

Perderlo todo

qué consuelos más tontos

oler el perfume

Pensar PROFUNdamente en ello

unos acordes

un perfume

un eco

una mierda

Russian Red dice que es de DERECHAS

VAYA ASCO

GUAPA Y CONSERVADORA

me pregunto qué querrá CONSERVAR

¿su cara bonita?

¿su perfume?

En realidad en este mundo todo es marketing, formas de vender a través de la novedad y dejándolo todo OBSOLETO lo antes posible. Cuando algo es nuevo despierta interés y se vende más, luego se estabiliza y poco a poco cada vez se vende menos y así se necesita una novedad tras otra para repuntar. Se utilizan frases ABSURDAS como: "LO NUEVO DE...", como si eso fuera un valor en sí mismo. ~~revista~~. Es triste. Ahora la novedad ya no se centra en los estilos musicales, se centra en la TECNOLOGÍA y la música es puro relleno. Como siempre, sigue habiendo artistas, pero el mercado ya ni los trata como tales, son sólo lana y mijo para rellenar sus muñecos de peluche para vender.

HiT
EMOCIONAL

tema: LONGFORM
GRUPO: the DODOS
Disco: time to die
(2009)

LA MODA
de
LA GUITARRA Y
EL TAMBOR

La primera vez que escuché a the DODOS pensé:

"vaya copia de ANIMAL COLLECTIVE"

siguen la moda de LA GUITARRA Y EL TAMBOR

Después Animal Collective cambiaron y ya casi nada tenían que ver

Mis Prejuicios

Los volví a escuchar y ahora me gustan

Lo mismo me pasó con Animal Collective, Al escuchar "Feels", pensé: "Son una copia barata de MERCURY REV"

Mis Prejuicios

Ahora me encantan

No me gustan los grupos que siguen las modas o a otros GRUPOS

CON PAVEMENT, lo mismo "Son UNA copia chusca de PIXIES"

PAVEMENT

Paramá, ahora son clásicos

Al final te das cuenta de que lo que cuenta son las canciones

Y todo lo demás, formas de SONAR

Sólo MODAS

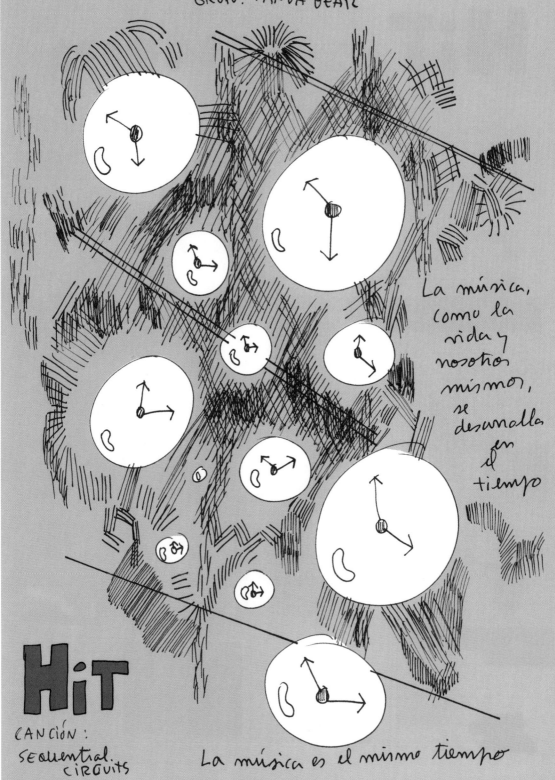

HiT

EMOCIONAL

GRUPO
TEMA : IN THIS HOME ON ~~THE~~ ICE
DISCO: CLAP YOUR HANDS SAY YEAH (2005)

EL MISTERIO de los GRUPOS que mutan en **U2**.

CLAP YOUR HANDS SAY YEAH se transforman en U2 en su último disco. EN UN "MORPHING" inesperado.

Eran un grupo molón. No sé por qué pasa esta cosa tan loca. **U2** son como un agujero negro que a determinados grupos con voluntad épica los acaba engullendo.
A ARCADE FIRE también se los tragará,
Los mismos U2 han mutado en U2 y ya no pueden dar más asco. **U2** sólo molaron cuando fueron menos ellos. EN el ACHTUNG BABY. En esa etapa me encantaban y los fui a ver dos veces en la misma gira. El primer día fui con VIRGILIO.

CANCIÓN: MADRID
GRUPO: ORNAMENTO Y DELITO
DISCO: PUTAS Y COCHEROS (2009)

Hay un murmullo
en medio del
DESIERTO,
ES MADRID

← nuestros padres
y ABuelos llegaron
con lo PUESTO

y Nos lo
dieron todo,
aunque fuera
GRIS Y MARRÓN

HiT

255

HiT

EMOCIONAL

TEMA: Las Cruces JAIL
GRUPO: TWO GALLANTS
DISCO: what the toll tells (2006)

Los días pasan despacio

Es tonto hablar de tópicos sobre la libertad

Es la cárcel perfecta

Cada día creo que podré escapar

Aquí dentro no tengo mis pistolas

ni mi cara de malo funciona

Mi presencia no puede intimidar a NADIE

Las cicatrices no cuentan

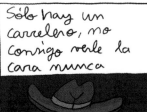

Sólo hay un carcelero, no consigo verle la cara nunca

Noto su presencia

Pero sé de sobra que en realidad estoy solo.

Solo en mi propia Prisión

de aquí nunca SALDRÉ

HiT

CHRISTINA ROSENVINGE
LA DISTANCIA ADECUADA
tu LABIO SUPERIOR 2008

La vi hace años en MADRID. Se acercaba desde lejos y al cruzarnos nos miramos

Pensé que tal vez me había reconocido, EGOCÉNTRICO de mí

El que la reconoció fui yo

Otra vez la vi en la GRAN VÍA, en BICICLETA

Pasó junto a mí en un paso cebra

Se alejó pedaleando con estilo

Su música no me decía gran cosa. No le prestaba atención suficiente.

Pero, un día de repente... Como una fruta en el árbol que pasa de estar verde a madura

El Azúcar se concentra en el fruto como para que un ser vivo se la quiera comer

Un día "LA DISTANCIA ADECUADA" maduró en mi CABEZA

Desde ese día para mí CHRISTINA ya es otra cosa

Es fruta MADURA

HIT

EMOCIONAL

Canción: La gran BROMA FINAL
AUTOR: NACHO VEGAS
DISCO: LA ZONA SUCIA (2011)

La espalda de NACHO VEGAS

su melenita

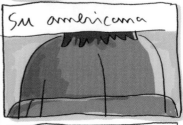

Su americana

imagine su mirada tristona y su voz

Fui a hacer una entrevista a la radio

Y estaba él en el estudio de al lado

No pude decirle nada

Las prisas del directo

Me hubiera encantado...

haberme ruborizado al saludarle

decirle que lo admiro

y que yo soy un simple humorista, con mi falsa humildad.

como una pequeña HUMI-LLACIÓN ante él

que al escuchar su música me siento como un PAYASO TRISTE

que "la gran broma final" es una dyna maestra

Pero lo único que pude hacer fue verle la espalda

258

HIT

tema: ZEBRA

Grupo: Beach HOUSE

Disco: teen DREAM (2010)

EMOCIONAL

Están en una casa en la playa para no tener que hacer NADA

Para no tener que enfrentarse a la vida

Para simular la EXISTENCIA volando una cometa

Ver cómo vuela

contemplarla

Unida a mí a través del HILO

Necesita la tensión para poder volar

Recoger el aire en su interior

El hilo la mantiene firme contra el viento

Si le cortase el hilo a la cometa, caería al mar

El agua desharía el papel

Y su esqueleto se lo llevaría la marea

Puede que la devolviera a la tierra maltrecha

Puede que el mar la llevara a otros lugares

O puede que la hundiera en las profundidades y desapareciera

Pero en ningún caso le importaría porque sin HILO la cometa NO tiene ALMA

259

VANE

(LA VANESSA)

Con Vanessa pasamos muchos años juntos. Vivíamos juntos, todo lo hacíamos juntos. Todos los veranos, desde el principio, nos íbamos al SUR, a ANDALUCÍA, a la BUENA VIDA, como dos MARQUESES. No recuerdo mejores veranos desde la niñez. El disfrute, el gusto que nos dábamos al cuerpo, ese amor tan sano.

Í bamos en coche porque nos gustaba bajar cargados de cómics para leer todo el verano

← Éste me lo guardo para leerlo en verano

(vale)

← JIMMY CORRIGAN

y éste

Nos alquilábamos un apartamento donde podíamos. Los años que nos iba bien el trabajo nos dábamos un capricho mayor: MÁLAGA, NERJA, EL CABO DE GATA, CÁDIZ, TARIFA. En general, nos fue muy bien.

Para el camino en el coche yo preparaba la música; GRABABA CD'S compulsivamente. Los grupos que nos gustaban y las novedades que iba descubriendo durante el año. QUÉ GRAN DISFRUTE, QUÉ FELICIDAD.

Yo ponía la música y VANESSA conducía.

LA PLAYA

Cuando conocí a Vanessa, ella escuchaba grupos de techno POP y góticos alemanes, no recuerdo ni los nombres porque eran malísimos, horteras y copias de DEPECHE MODE y de SISTERS of MERCY; ~~the de~~ the Cure, también.

Vane trabajaba en la sala GÓTICA del RAZZMATAZZ de Barcelona, Era la camarera y escuchaba esa MÚSICA.

Estaba muy seria detrás de la BARRA para EVITAR MOSCONES →

→ Pero en realidad era y es una chica divertida

Vane y yo, con el tiempo, fuimos pillando el mismo gusto musical; a ella, cuando la conocí, ya le gustaban los PiXiES como a mí, y eso facilitó las cosas.

Como iba contando, para las vacaciones grababa CD's. Al principio dibujaba hasta las portadas, hacía casi 100, luego no escuchábamos ni la mitad: los que nos gustaban más, es inevitable. La Mayoría morían en un proceso de selección NATURAL, sobrevivían los mejores.

Me encantaba vivir ese proceso ~~de su calidad~~ para saber cuáles eran los mejores discos de verdad. Las primeras escuchas son engañosas, como en todo hay discos muy efectistas que gustan enseguida.

CLAVE

Nos pasó con Animal collective, no los entendíamos al principio. A mí me sonaban a una copia mala de MERCURY REV y a Vane le parecían un ~~Barullo~~ BURULLO de sonido.

No recuerdo exactamente el día que los escuché de otra forma y conseguí entrar.

No me había dado cuenta.

SON el mejor GRUPO del MUNDO

soy un PRINGADO

Tampoco sé cómo lo hizo Vane i estas cosas suelen ser misteriosas, un buen día sale el sol.

Y Brilla. Tu cerebro hace la última conexión que completa un todo y que sin esa unión carecía de sentido. Como que sólo ves un dibujo del fragmento y hasta que no te alejas para verlo completo no sabes qué representa.

Es algo MÁGICO, supongo que por eso este tipo de discos o de grupos te atrapan tanto, porque se nos representan como algo mágico y misterioso. Algo que no entendíamos y que hemos logrado comprender.

CLARO

Ahora escuchar a Animal collective me escuece, me duele, demasiados recuerdos, hechos bonitos que se mancharon, se largaron ~~de~~ a la mierda. Tiempos felices que tampoco lo debieron ser tanto. Sólo porque mi madre ya estaba enferma. Siempre sufriendo, pero fui feliz con Vanessa, mucho. Hicimos de todo y creo que alcancé la plenitud de la vida que ahora siento que he perdido con la muerte de mi familia. Ahora soy un espectro $\longrightarrow$

un proyecto de hombre que nunca llegué a ser . FIN , mi plenitud llegó a su fin, con mucha decepción por no lograr alcanzarla del todo ,porque se me escapa entre los dedos como al estar ~~agua~~ agarrado en un precipicio de una camiseta vieja y notar cómo se va desgarrando para dejarte caer. Pero sin saber muy bien cómo , consigues agarrarla un poco mejor y mantenerte .

CRAC

toda la belleza de la música de Animal Collective me la he privado ,todo ese mundo maravilloso me lo he negado ,el lado de la fantasía y la infancia "FOREVER" Ya no sé dónde →

→ cojones está. Me siento mal por no poder volver a ningún lugar así. Si no fuera porque la vida es menos ABSURDA que la muerte... ERA NUESTRO GRUPO PREFERIDO

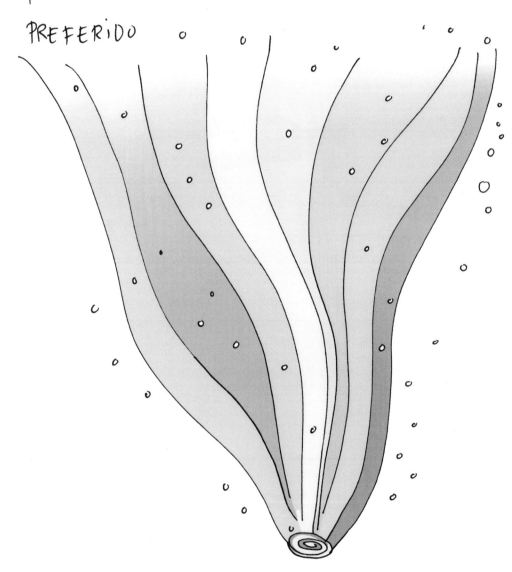

HiT

EMOCIONAL ANGOULÊME

Tema: MY GIRLS
GRUPO: ANIMAL COLLECTIVE
DISCO: MERRIWEATHER POST PAVILION
(2009)

Este pasado ENERO, fuimos al Salón del cómic de ANGOULÊME (Francia).
Por primera vez publicaba allí e iba a firmar libros a mis lectores Franceses.

Soñaba con ello desde que era niño, y por fin lo había logrado

Me acompañaban para la ocasión Pepo, Vanessa y txell.
Las chicas se encargaban de conducir. Pepo y Yo íbamos como dos MARQUESES.

Bla Bla Bla

Durante todo el camino, no paramos de ver árboles caídos por el mal tiempo.
Pero en ese momento brillaba el SOL.

íbamos hablando sobre el buen momento que están pasando los cómics y sobre la suerte que tenemos de poder participar en ello.

En ese momento sonó en el CD del coche "MY GIRLS" y Pepo empezó a intentar marcar el ritmo con la PIERNA

TAP TAP

Y mi sensación de FELICIDAD se expandió como un Punto de FUGA hacia el infinito

como el efecto de la velocidad LUZ del HALCON MILENARIO

HiT

EMO CIO NAL

TEMA: PEOPLE
GRUPO: ANIMAL COLLECTIVE
DISCO: PEOPLE E.P (2007)

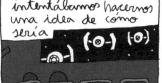

Yo no le dije nada

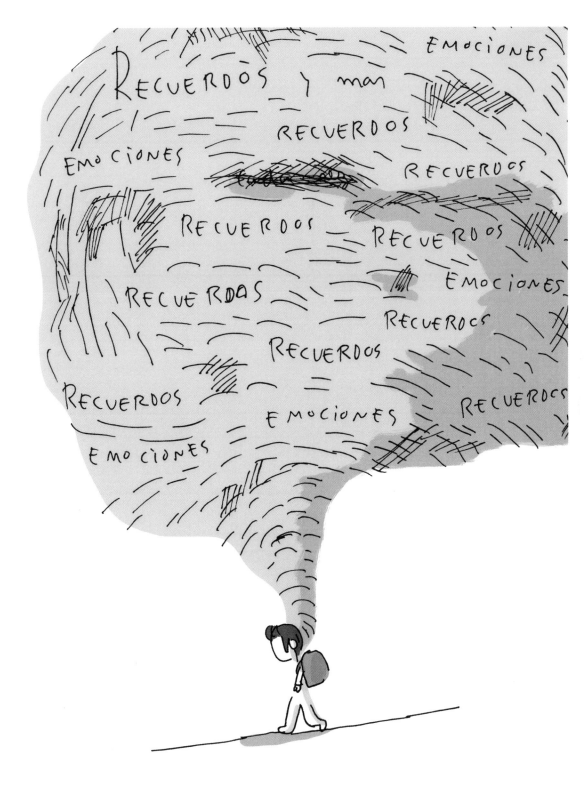

La música acompaña. Como las abuelas que tienen la tele encendida para ~~sentirse menos~~ sentirse menos solas.

SEÑALES de vida.

Nunca me ha gustado mucho el silencio, me recuerda a la MUERTE.

Discos que HE ESCUCHADO MÁS
veces (sin orden)

- Killers (IRON MAIDEN)
- AND JUSTICE FOR ALL ... (METALLICA)
- BENEATH tHE REMAINS (SEPULTURA)   ALICE IN CHAINS
- KILL'em ALL (METALLICA)   (FACE LIFT)
- PSYCHO CANDY (tHE JESUS AND MARY CHAIN)
- DAY DREAM NATION (SONIC YOUTH)
- DESERTER'S SONGS (MERCURY REV)
- LOS PLANETAS (SUPER POP)   ~~ALIC~~

~~KREATOR tE~~ EXTREME AGGRESSION (KREATOR)

- tHE STONE ROSES (el Primero)
- SPACEMEN 3 (RECURRING)
- DISTANCE (FLYING SAUCER AttACK)
- ANIMAL COLLECTIVE (FEELS)

GRUPOS oy músicos que
me gustan
y no salen en
el libro

_ SLINT
_ RIDE

_ NEIL YOUNG
_ JOY DIVISION
_ THE CURE (sólo
salen
mencionados)

_ DINOSAUR JR.
_ TURBO NEGRO
_ MOTORHEAD
_ AC / DC
_ ENTOMBED
_ NAPALM DEATH
_ SHELLAC

_ SPECTRUM
_ SPIRITUALIZED

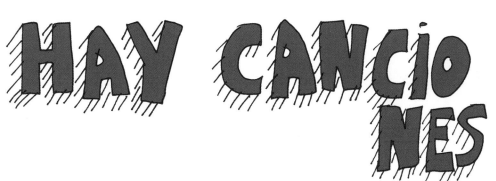

HAY CANCIONES

Que uno no puede volver a escuchar en la
vida. (Simplemente por los recuerdos de
mierda que guardas en ellas)

HIT

EMOCIONAL

Canción: MEDITERRÁNEO
AUTOR: SERRAT
Disco: Mediterráneo (1972)

Si me preguntas de dónde vengo	No diré que del océano	Ni de la inmensidad	Vengo de una flor de miga de PAN
que un día hizo mi madre después de comer	Vengo del pan con vino para merendar y del café con leche para desayunar	Vengo de las caricias rasposas de mi abuela	Y de una madre diminuta
No vengo de un océano	vengo en zapatillas de andar por casa	vengo de la tos y del ASMA	¿A quién le importa de dónde vengo?
Prácticamente no hay nadie ahí fuera.	Sólo me lo recuerdo a mí	para no olvidarme de cómo NADAR	En el mar
			En el mar

HIT

EMOCIONAL

CANCIÓN: WHITE NOISE

DISCO: HARDCORE WILL NEVER DIE, BUT YOU WILL (2011)

GRUPO: MOGWAI

Últimamente escucho mucho a MOGWAI

Últimamente escribo mucho sobre mi ABUELA

MOGWAI me recuerdan a mi ABUELA

Nació en Salas BAJAS, un pequeño pueblo del SOMONTANO

UNA TIERRA ÁRIDA Y seca.

TIERRA de VINO

LAS MANOS RASPOSAS de mi ABUELA me recuerdan al SONIDO de MOGWAI

Unas manos rugosas pero cálidas que me acompañaban y me cogían de la mano a la salida del colegio

Como las guitarras y melodías de MOGWAI

LA TIERRA de mi ABUELA, SUS MANOS Y EL SONIDO de MOGWAI

puede parecer una paja mental

Pura ASOCIACIÓN

¿LA MÚSICA no funciona así?

FRANZ FERDINAND me recuerdan a mi padre

Serrat a mi madre.
MOGWAI a mi ABUELA

Ahora todos ellos siguen en cierta forma ahí, en la MÚSICA

HiT

EMOCIONAL

CANCIÓN: MAZE of DEATH
GRUPO: EXCEPTER
DISCO: MAZE of DEATH (2011)

Mi abuela, mientras miraba desde el ~~balco~~ balcón, siempre decía:

todo pasa, pasan los coches, pasa la vida, todo pasa.

Hasta que no fui bastante mayor nunca había visto pasar las cosas tan deprisa

Mi madre me decía que llega una edad en la que todo se acelera

pasas la vida viendo pasar los coches

Sin darte cuenta de que tú eres uno de ellos

Una unidad de desplazamiento

Un vehículo temporal que sólo viaja hacia delante

Crees que la maniobra es posible y así pierdes el tiempo

Un día el sol se apagará

Y los focos ya no iluminarán la carretera

HiT

EMOCIONAL

tema: Sound of silence
Grupo: Simon & GARFUNKEL
Disco: Sounds of silence (1966)

Es una idea poética algo cutre.

El sonido del silencio.

Le encantaban Serrat y Simon & GARFUNKEL

Mi madre solía cantar

Canturreaba sus canciones en un pseudo inglés inventado mientras cosía

A mí me daba medio vergüenza oírla

La miraba cómo cantaba a escondidas

detrás de la puerta

Ella siempre me veía por la sombra

Y se reía

La máquina de coser y su voz. Ahora que no está, esos sonidos resuenan en mí

desde ese SiLENCiO absoluto que es la muerte

¿A eso se debe referir El SoNiDO del SiLENCiO?

¿A esos recuerdos de mi madre?

¿a los sonidos que jamás volveré a oír fuera de mí?

¿A esa profunda pena?

HIT EMOCIONAL

GRUPO: RADIO HEAD
CANCIÓN: EVERYTHING IN ITS
RIGHT PLACE
DISCO: KID A (2000)

No lo puedo remediar, me gustan RADIOHEAD. Los escuchaba cuando iba a ver a mi madre al hospital en su última etapa; no sé por qué, me consolaba escuchar a un tipo triste como yo. Supongo que uno se siente acompañado así. Por otro lado, me ayudaba a distanciarme de la realidad con esos sonidos que fugan de ese modo diletante. Me llevaba a un lugar donde la tristeza me libraba de la culpa por no poder hacer nada por ella. Me libraba de pisar los cristales rotos. Flotaba tristemente, lo justo para ir tirando y bajarme del metro y llegar hasta su habitación y hablar con ella de cosas sin sentido. De cómo se debían cocer las judías verdes, ésa fue nuestra última charla.

RADIOHEAD es un grupo triste y ABSURDO, como la realidad muchas veces.

282

A mi madre sólo le gustaba la música por los recuerdos que le traía.

Creo que a mucha gente le pasa, por eso no escuchan música nueva cuando son mayores.

Mi madre decía que me gustaba tanto la música porque al nacer sonaban los BEATLES en la sala de partos.

Nunca se lo quise decir, pero a mí los BEATLES nunca me han gustado, yo creo que precisamente por ese motivo.

Nacer ha de ser como cuando te tiras al agua en el mar y está helada, pero al contrario. ALGO MUY incómodo.

Tiene pinta de estar congelada

El viento

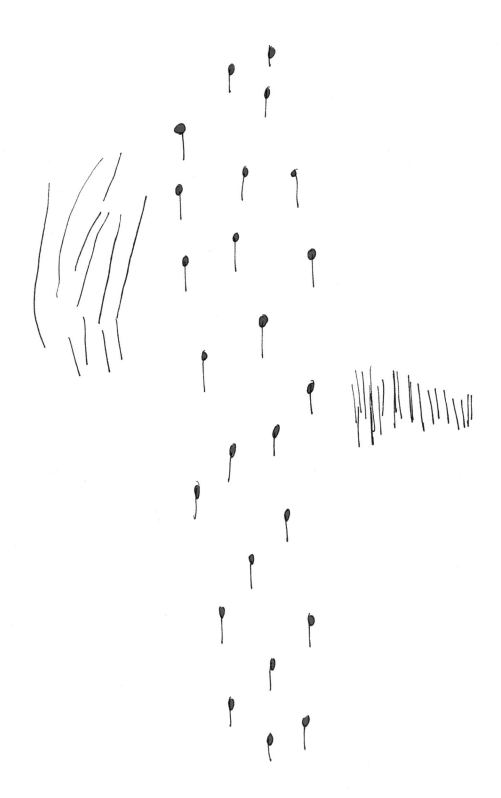

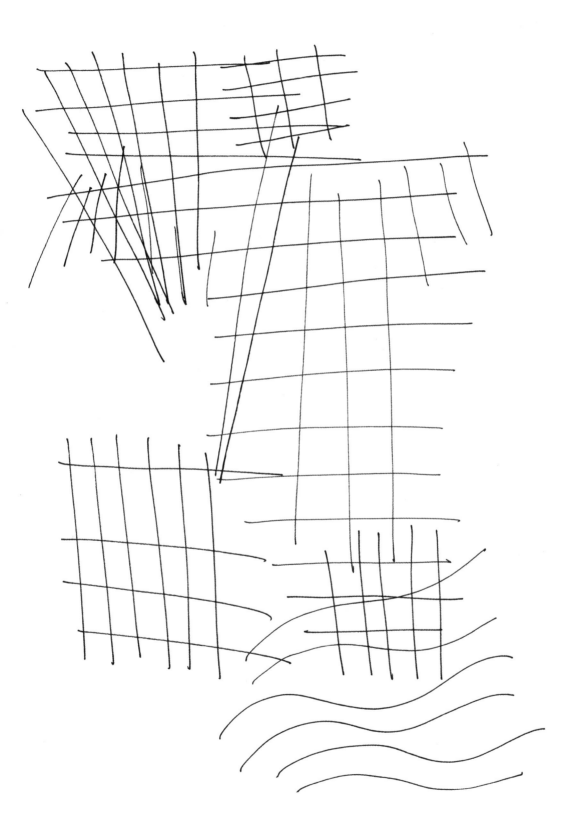

Nada de lo que cuento en el libro ha vuelto de ningún modo, ni las situaciones, ni las personas. La vida no es como una canción que puedes escuchar una y otra vez. Algunos seres queridos ya no están, a otros la vida nos separó o nos transformó en algo así como en extraños, jamás volvemos a ser los que fuimos. He escuchado a menudo decir que las personas no cambian y sí que lo hacemos, el tiempo todo lo transforma. A mí la vida y el tiempo me volvieron algo salvaje y desarraigado. Si no fuera por la música y su poder evocador, de mucho de todo esto que recuerdo y me conmueve, hasta me golpea, creo que ni me acordaría; la música es el elixir de los momentos, la droga que me lleva hasta allí, a todos nos sucede.

a todos nos sucede, no es nada tan
especial, y yo simplemente me dedico a hacer
algo con ello. También creo que de algún
modo me retiene y me recuerda quién soy
y de dónde vengo. Igual que me recuerda
a mi padre, me recuerda a mis amigos
y a esas personas que tanto quise y amé
y sin las que creí que jamás podría vivir,
aunque, tristemente, sí he podido hacerlo.

De lo que estoy seguro es de que no podría
vivir sin su recuerdo y sin la música ;si
lo hiciera sería algo muy distinto a un
ser humano.

os quiero a todos

Juanjo Sáez

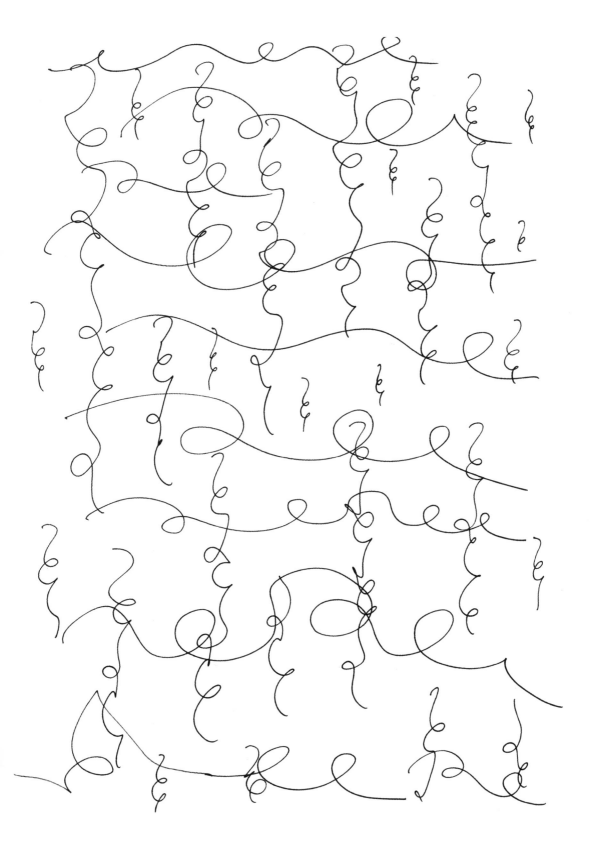

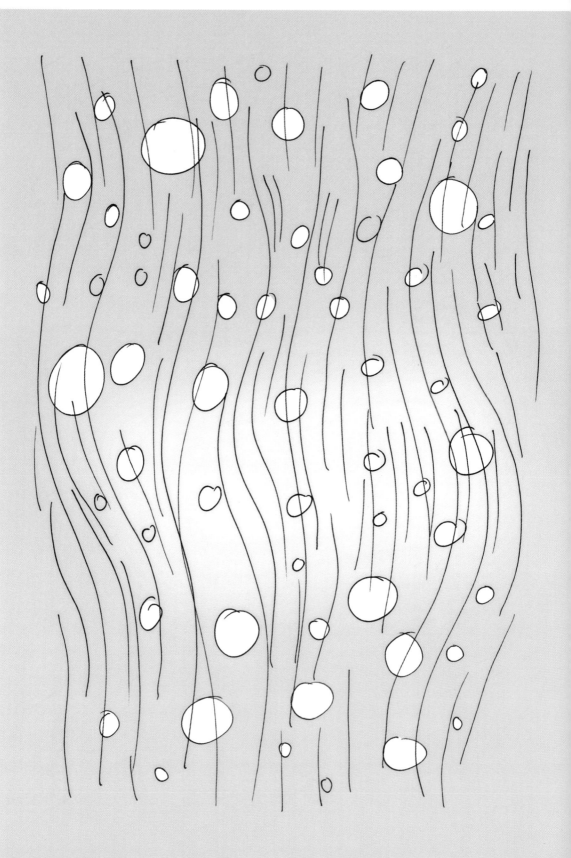

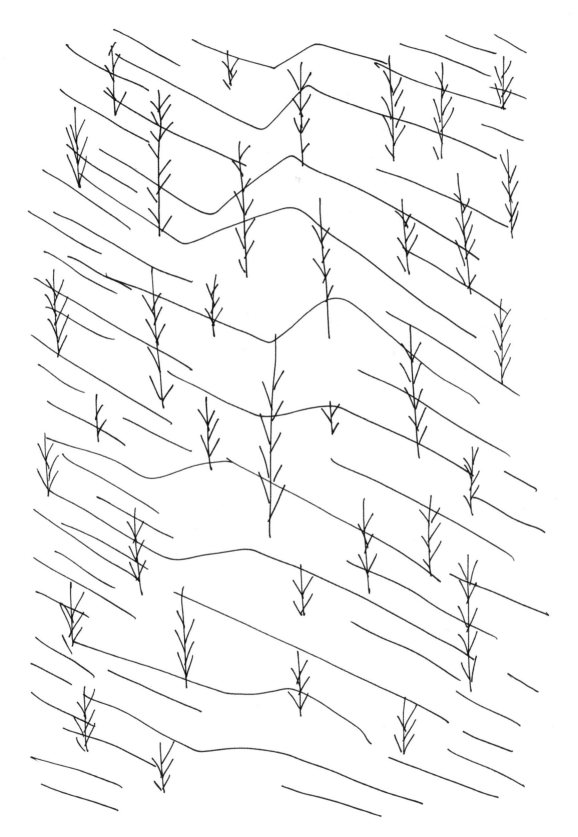

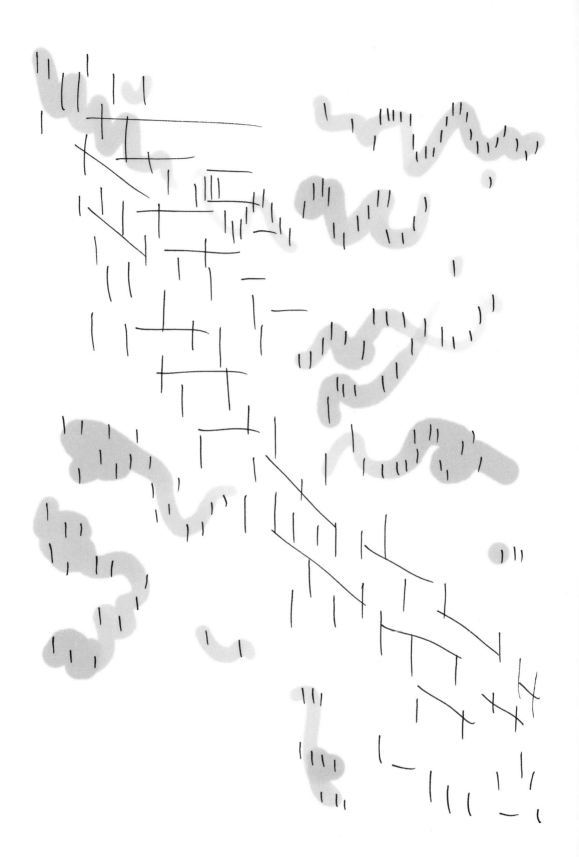

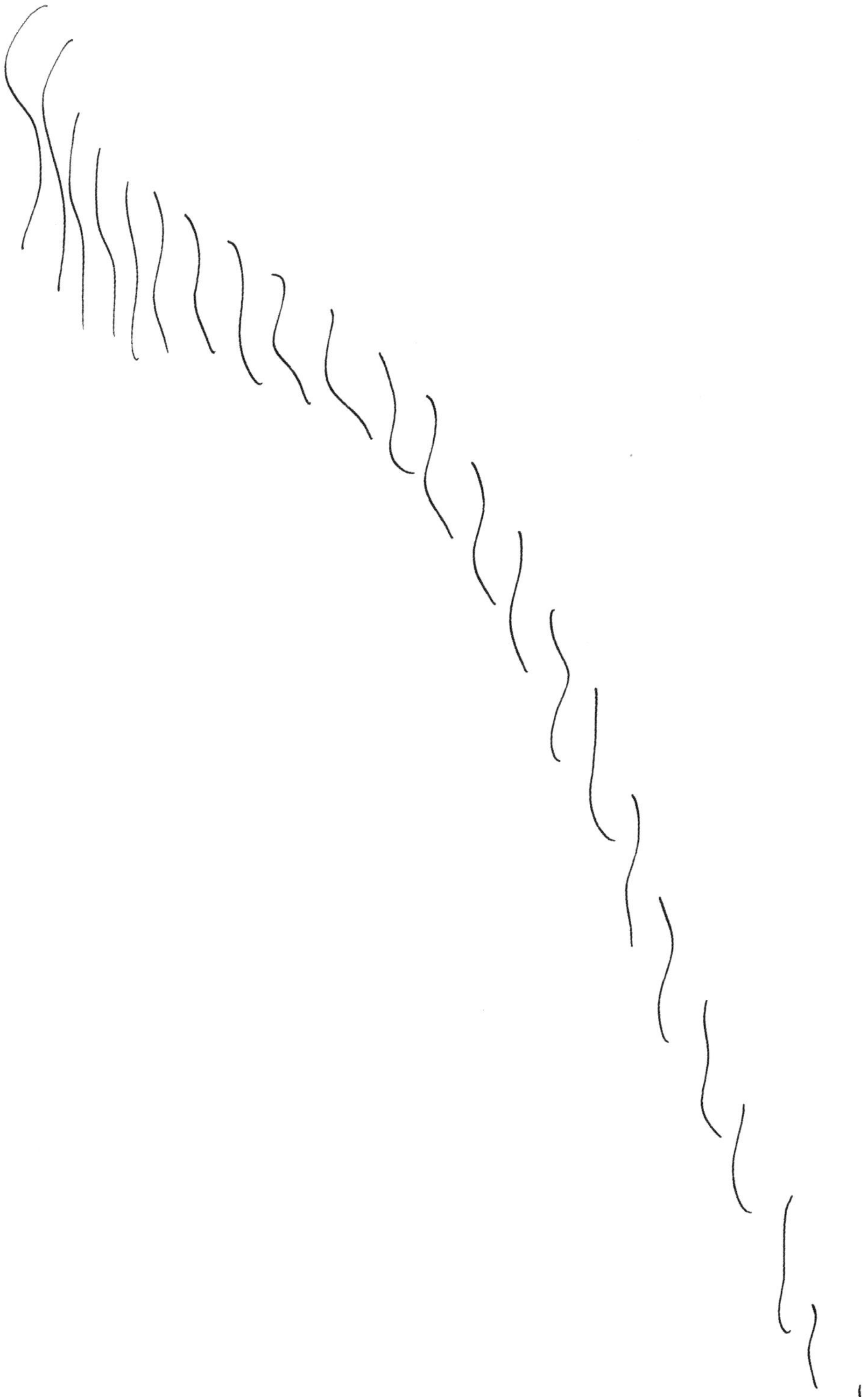

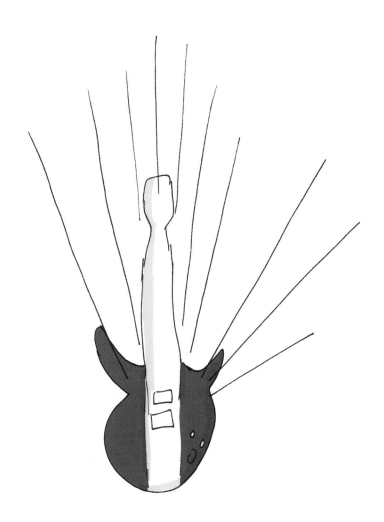